COLLECTION
FOLIO CLASSIQUE

Racine

Britannicus

Édition présentée, établie et annotée
par Georges Forestier

Professeur à l'Université de Paris-Sorbonne

Gallimard

PRÉFACE

La Thébaïde, Alexandre le Grand, Andromaque *: Racine pour ses trois premières tragédies avait choisi des sujets grecs. Deux ans après le triomphe d'*Andromaque, *et passé l'intermède des* Plaideurs, *il s'aventurait avec* Britannicus *(1669) dans le domaine qui avait assuré la gloire du « Grand Corneille » : la tragédie romaine. S'agissait-il de battre Corneille sur son propre terrain, comme on le dit volontiers ? Plus probablement de montrer qu'il pouvait adapter son esthétique tragique à un autre cadre, plus « sérieux » que les légendes grecques, du fait de sa dimension historique et politique. Racine avait à cœur de confirmer qu'il n'était pas l'un de ces « doucereux » auxquels Corneille reprochait depuis des années d'avoir affadi le genre de la tragédie en soumettant toutes les actions des principaux personnages à la tendresse amoureuse. Après avoir lui-même sacrifié à cette esthétique « galante » avec* Alexandre le Grand, *son premier grand succès, il avait ensuite révélé que l'esthétique de la tendresse pouvait se faire violence pas-*

sionnelle et déboucher sur ce qui est au cœur de la tragédie depuis l'Antiquité, la mort et la folie. Mais Andromaque, *en dépit de son triomphe public et de son succès à la cour, n'avait pas reçu l'approbation des gens de lettres, confrères et théoriciens du théâtre : par la sujétion de tous les intérêts des personnages à la passion amoureuse, ce n'était à leurs yeux qu'une tragédie galante de plus, toute pathétique qu'elle pût paraître ; on s'étonna notamment que le violent et sanguinaire Pyrrhus ait pu déterminer ses actes par le seul effet que provoquaient sur lui les beaux yeux d'Andromaque qui n'était après tout que sa captive.*

Britannicus *apparaît clairement comme le résultat d'une méditation sur ces critiques, et Racine autorisera son ami Boileau à l'avouer quelques années plus tard dans son* Épître VII *(*à M. Racine, *1677) :*

Au Cid persécuté Cinna doit sa naissance,
Et peut-être ta plume aux censeurs de Pyrrhus
Doit les plus nobles traits dont tu peignis Burrhus.

Le raccourci poétique imposé par la rime masque évidemment ce qui était réellement en question en 1669 : faire voir que les effets de la passion destructrice pouvaient s'accorder avec des enjeux plus nobles comme les successions dynastiques, les luttes pour le pouvoir, le devenir des royaumes et des empires ; bref, que les destins individuels, tout soumis qu'ils se trouvaient être aux mouvements les plus intimes et les plus irrationnels du cœur, pouvaient retentir sur le destin des États. C'était aller exactement à l'encontre de la démarche de Corneille qui bâtissait ses intrigues sur les conséquences psychologiques et morales de situations objectives préalables : en choisissant son sujet dans l'immense réservoir d'événements extraordinaires que constituait la longue histoire de l'Empire romain, où était venu abondamment puiser Corneille, Racine situait clairement le défi qu'il lançait. Dans un même cadre historique et politique, il entendait faire triompher une nouvelle esthétique tragique.

Et Corneille, quoique sa gloire n'eût alors rien à redouter de quiconque, était bien conscient de l'enjeu : il assista à la première de Britannicus. *Le résultat n'eut pas de quoi l'inquiéter : la pièce fut un demi-échec et disparut de l'affiche rapidement. Les raisons en étaient claires : cette tragédie romaine ne paraissait pas être une pièce racinienne, et ce n'était assurément pas une pièce cornélienne. C'était en 1669 son principal défaut. Un autre que Racine se fût résigné et aurait reconnu ses torts. Lui, au contraire, se battit pour faire reconnaître non seulement qu'une tragédie romaine pouvait être une pièce racinienne, mais aussi que c'est lui qui était dans la bonne voie. Et d'écrire une violente préface qu'il plaça en tête de l'édition de sa pièce au début de 1670 : il répondait aux réserves qui venaient d'accueillir son œuvre, et surtout il attaquait Corneille en caricaturant outrageusement sa poétique tragique. Il ne tarda pas à être entendu et à faire reconnaître les mérites de sa propre esthétique : « si j'ai fait quelque chose de solide, et qui mérite quelque louange », écrira-t-il cinq ans plus tard dans la préface de sa nouvelle édition, « la plupart des connaisseurs demeurent d'accord que c'est ce même* Britannicus ».

LE SUJET DE LA TRAGÉDIE

« Ma tragédie n'est pas moins la disgrâce d'Agrippine que la mort de Britannicus », écrit-il encore dans la même préface de 1675. Cette phrase souligne ce qui constitue le problème crucial de cette tragédie : la nature de son sujet. Problème d'autant plus complexe que la contrepartie de la disgrâce d'Agrippine comme de la mort de Britannicus fut l'affermissement du pouvoir personnel de Néron, la révélation de sa nature criminelle et le début de la libération de ses désirs monstrueux ; et que Racine, en parvenant à évoquer tous ces aspects à la fois, a mis en scène un fascinant Néron. De là le pas franchi par certains critiques qui voient dans Britannicus *la tragédie de Néron, comme si le vrai tragique de la pièce tenait à ce qu'aucun des protagonistes n'a su retenir le Néron de la tragédie sur la pente qui le faisait rejoindre le monstrueux Néron de l'Histoire. Une telle interprétation, pour séduisante qu'elle soit, a le défaut de situer l'enjeu de la pièce au seul plan de la réflexion morale et historique. Non que tout enjeu intellectuel en soit absent, bien au contraire : c'est d'ailleurs aussi à quoi* Britannicus *doit d'être la pièce des « connaisseurs ». Mais ce n'était pas ce qui au* XVIIe *siècle ins-*

pirait la démarche créatrice d'un auteur de tragédie — fût-il Corneille, qu'une longue tradition critique présente à tort comme un écrivain préoccupé avant tout par la dimension politique des affrontements humains. Tous les écrits de nos deux plus grands auteurs tragiques révèlent une attention primordiale à ce qu'ils jugent être au cœur de l'art de la tragédie : susciter l'émotion. Et pour eux, d'accord avec l'Aristote de la Poétique, *il n'est d'émotion que dans la production de la* pitié *et de la* crainte. *Or il y a loin de l'accès de désespoir qui, apprend-on à la fin de la pièce, a gagné Néron (loin de nos yeux) à la crise de folie qui, au dénouement d'*Andromaque, *avait frappé (devant nous) Oreste, assassin comme lui et comme lui dépossédé de celle pour qui il a tué son rival : héros qui commet un meurtre sous l'effet d'un aveuglement passionnel et qui se retrouve face à son acte inutile, Oreste — par ailleurs assassin de sa mère, comme le sera Néron — a été désigné depuis l'Antiquité comme le héros type de la tragédie. S'il tue sa mère, il le fait sous l'effet d'un impératif supérieur, la vengeance de son père assassiné ; s'il tue Pyrrhus, c'est aussi sous l'effet d'un impératif supérieur, la soumission quasiment irresponsable aux ordres d'Hermione ; et c'est lui, tout autant que la victime de l'assassinat, qui est l'objet de la pitié tragique, lui qui s'écrie, avant de sombrer dans la folie : « Mon malheur passe mon espérance » (v. 1613). Dans* Britannicus, *c'est seulement le malheur de la victime qui va au-delà de toute attente. À reprendre la phrase que* *nous citions plus haut, on voit bien que si* Britannicus *« n'est pas moins la disgrâce d'Agrippine que la mort de Britannicus », c'est que son sujet est d'abord celui de la mort de Britannicus, Britannicus désigné par Racine comme « le héros de ma tragédie ».*

Reste à savoir quelles possibilités d'émotion Racine a pu entrevoir dans un événement que les historiens présentaient justement comme l'une des étapes de la chute d'Agrippine. Si l'on confronte cette pièce à sa source, un court passage des Annales *de Tacite où sont narrées les conditions de la mort de Britannicus (voir Appendice III), on constate qu'effectivement l'élimination de celui-ci n'est aux yeux de Tacite que l'épisode le plus crucial du long affrontement entre Néron et sa mère : c'est au moment où Agrippine commença à perdre de son influence qu'elle menaça son fils de favoriser Britannicus, et c'est cette menace qui fit prendre conscience à Néron de l'hostilité que le jeune prince lui vouait et du danger qu'il représentait si Agrippine mettait ses menaces à exécution. Aussi peut-on se demander pourquoi Racine a choisi cet épisode particulier, plutôt que les événements qui ont directement conduit à l'assassinat d'Agrippine. C'est que l'affrontement direct d'un fils monstrueux et d'une mère monstrueuse ne laissait guère de place à la pitié tragique ; en revanche, l'écrasement — dans le cadre de cet affrontement — d'une figure aussi innocente que celle de Britannicus pouvait ouvrir la voie à l'émotion. D'autant que Racine n'avait pas pu ne pas être frappé par une remarque de Tacite notant que*

*« beaucoup, même parmi les humains, excusaient ce crime, en disant que, depuis toujours, la discorde avait régné entre frères et que la royauté ne se partageait pas ». L'histoire de la mort de Britannicus présentait ainsi une caractéristique essentielle : histoire d'un frère qui tue son frère, c'était un parfait sujet tragique. Aristote, approuvé par Corneille, avait estimé que les sujets les plus dignes de la tragédie étaient ceux dans lesquels un père tue son fils, un frère son frère, un fils sa mère ; et Racine le savait bien, qui avait débuté dans la carrière dramatique en choisissant le modèle le plus fameux de rivalité fraternelle, celui des fils d'Œdipe qui après s'être fait la guerre s'entre-tuent dans un combat singulier (*La Thébaïde*). Ce mythe des frères ennemis fournira encore la matière de* Bajazet *et de* Mithridate.

Cependant ce n'était pas en soi un sujet de nature supérieure à celui dans lequel un fils tue sa mère. L'avantage de l'histoire de Britannicus est que Néron et lui n'étaient pas de vrais frères. Certes, ils étaient étroitement liés : Agrippine, mère de Néron, avait épousé son oncle l'empereur Claude, père de Britannicus ; de cousins, ils devinrent ainsi frères par alliance. Là-dessus, le mariage de Néron et d'Octavie, fille de Claude, les rendit beaux-frères, et surtout l'adoption de Néron par Claude les rendit frères au regard de la loi. Et comme Néron était l'aîné de trois ans, Agrippine n'eut que peu de peine, après avoir fait périr Claude, à le faire accepter comme le seul héritier de l'empire. On voit ainsi comment cette fra-

ternité artificielle contenait tous les germes d'un nécessaire affrontement, puisqu'elle avait dépossédé Britannicus d'un pouvoir suprême auquel il était seul destiné par le sang et auquel le droit ne lui permettait plus de prétendre : à tout moment, il pouvait être conduit à faire valoir les droits du sang contre les droits de la loi. En somme, à la différence d'un schéma traditionnel de rivalité fraternelle, les deux personnages sont ici rivaux avant que d'être frères, car historiquement ils sont devenus frères pour pouvoir être rivaux. Et Racine a parfaitement transcrit dans sa pièce cette situation particulière : à aucun moment Néron ni Britannicus ne se considèrent comme frères, et il faut attendre le dernier tiers de la pièce, lorsque la vie de Britannicus commence à être menacée par ses propres velléités de révolte et par la jalousie de Néron, pour que surgisse, par les voix de Junie et de Burrhus, le rappel de la « fraternité » des deux rivaux (v. 1060, 1385) : et finalement Britannicus n'est pleinement le frère de Néron que dans la mort (v. 1618, 1620, 1675, 1708).

Ce lien familial d'une nature si particulière présentait donc l'intérêt de doubler la structure tragique de la rivalité fraternelle par le thème politique de l'usurpation tyrannique : dans la tragédie classique, un roi est toujours l'emblème scénique qui renvoie au vrai monarque-spectateur l'une de ses images ; ce jeu allégorique aurait rendu intolérable en 1669, au faîte de la puissance et de la gloire de Louis XIV, la mise sur la scène d'un roi légitime assassin de son « frère ». Or

Néron, face à Britannicus, n'était qu'un usurpateur légitimé par les institutions romaines grâce aux crimes et aux manœuvres de sa mère, et la mort de Britannicus transforme l'usurpateur en véritable tyran. De là l'ambiguïté de la situation de Burrhus, personnage souvent accusé de veulerie par les critiques : il est au service exclusif de celui qu'il considère comme l'empereur légitime, et il voit que cette légitimité ne peut subsister que si l'empereur demeure irréprochable ; ce qui explique ses efforts pour annihiler la mauvaise influence d'Agrippine sur son fils ou ses manœuvres contre lui, efforts qui le poussent même devant Agrippine à justifier l'enlèvement de Junie. Pour en revenir à la victime de l'action tragique, Britannicus, on voit que cette situation particulière en faisait d'emblée un personnage digne de pitié, comme l'avait noté Tacite dans son récit.

Pour pitoyable que fût la situation de Britannicus, cela ne suffisait pas au XVII*e siècle à faire une tragédie parfaite. Même si Racine avait choisi ce sujet pour montrer qu'il savait écrire autre chose que de pures tragédies d'amour comme on le lui reprochait, le genre ne s'entendait pas sans épisode amoureux, étroitement entremêlé au sujet initial, de telle sorte que l'un et l'autre ne fassent qu'une intrigue, de telle sorte même que l'épisode amoureux soit le motif déclencheur de l'engrenage tragique. Corneille avait depuis longtemps montré l'exemple et Racine ne se fait pas faute de justifier dans sa préface le personnage de Junie — héroïne historique d'une histoire d'amour imaginaire — en rappelant que dans* Cinna *son aîné avait créé de toutes pièces le personnage d'Émilie — inspiratrice inventée d'une conspiration historique. Donner à Britannicus une amoureuse, c'était créer un couple de victimes, dont la pureté et l'innocence permettaient de faire ressortir la noirceur des autres personnages, et dont les amours contrariées pouvaient donner à la pièce une dimension élégiaque de nature à contrebalancer la tonalité fortement politique de la donnée initiale ; c'était surtout donner au déclenchement de l'action un prétexte humain, c'est-à-dire psychologique. Le Néron de l'histoire fit périr Britannicus à cause d'une inquiétude purement politique devant la menace institutionnelle que son « frère » représentait pour lui. Le Néron de Racine fait enlever Junie pour des raisons politiques, mais tout aussitôt le désir de concupiscence éveille en lui la passion amoureuse et la jalousie, mettant en marche la mécanique qui aboutit à l'assassinat de Britannicus. Le poète a ainsi interposé entre les causes politiques et l'effet tragique des motivations passionnelles parfaitement vraisemblables, qui viennent renforcer la dimension « humaine » de la rivalité fraternelle. Motivations vraisemblables qui ne contredisent pas absolument l'histoire : qu'il ne fût pas fait mention de quelque sentiment amoureux chez le tout jeune Britannicus (il avait quatorze ans) n'empêchait pas Néron d'avoir eu de son côté la réputation de désirer les femmes des autres, et nul n'ignorait qu'il avait fini par éloigner de Rome son ami Othon pour pouvoir s'assurer pleinement de la compagnie de sa femme, Poppée. Ce type d'enrichis-*

sement d'un événement historique par d'autres événements antérieurs ou, comme ici, postérieurs qui ne le contredisent pas était parfaitement admis même par les théoriciens les plus rigoureux de la tragédie.

Si « l'épisode » de Junie permettait à Racine de faire aboutir son esthétique de la passion destructrice dans un sujet qui dans sa version historique ne contenait aucun enjeu amoureux, on voit qu'il ne s'agissait pas pour autant de refaire Andromaque. *La structure des amours en chaîne mettait Oreste, Hermione et Pyrrhus en situation de poursuivre de leurs assiduités, de leurs plaintes et de leurs chantages celui ou celle qui ne les aimait pas. Mais c'était eux-mêmes en définitive qu'ils brisaient, par leurs illusions, leurs indécisions, leurs revirements : Oreste, quoique responsable direct de la mort de Pyrrhus et indirect du suicide d'Hermione, s'est anéanti lui-même en laissant anéantir les autres. Son statut de héros issu du monde de l'épopée (et de l'atmosphère de la tragédie galante) lui interdisait, comme à Pyrrhus malgré son chantage sur la vie du fils d'Andromaque, d'avoir ne serait-ce que la pensée de détruire autrui. Grâce au personnage historique de Néron qui lui donnait, déjà construit, un tyran habité par la concupiscence, la jalousie et le plaisir de nuire, Racine a déplacé les effets de son esthétique de la passion destructrice : celle-ci, en passant des héros vers les monstres, déportait ses effets délétères de soi-même vers autrui.*

C'est pourquoi ce sujet est effectivement moins celui de la disgrâce d'Agrippine que celui de la mort de Britannicus. Même si Agrippine ouvre et clôt la tragédie, d'abord une Agrippine cherchant à reconquérir son influence et son pouvoir, ensuite une Agrippine persuadée d'être la prochaine victime de son propre fils, la pièce ne donne pas à voir son écrasement : ses illusions, ses erreurs, ses (fausses) victoires et ses (vraies) défaites, certes ; mais on ne craint pas pour sa vie, et ni son caractère, ni sa situation ne sont de nature à inspirer la pitié. Il est vrai d'autre part que c'est dans le cadre de sa lutte contre sa mère que Néron brise l'union projetée par elle entre Britannicus et Junie en faisant enlever la jeune fille — la tragédie de Britannicus étant comme enchâssée dans l'histoire de la chute d'Agrippine qui n'en constitue que le cadre ; mais les relations amoureuses conflictuelles entre les trois jeunes gens s'autonomisent de telle sorte que même pendant le grand débat entre la mère et le fils (IV, 2), à l'issue duquel celui-ci semble avoir cédé une fois de plus devant le « génie » d'Agrippine et être rentré dans son giron, l'écrasement de Britannicus se poursuit en coulisse : Narcisse est en train de se procurer le poison qu'il rapportera à la scène 4.

L'ACTION TRAGIQUE

L'habileté rhétorique dont a fait preuve Racine dans la préface de Britannicus *est responsable de l'un des plus graves malentendus dont s'est nourrie l'histoire littéraire française. Depuis trois siècles, depuis la préface de* Britannicus, *Corneille passe pour l'auteur de tragédies où s'accumulent les événements et où les personnages ne cessent de discourir, bref de tragédies complexes et déclamatoires, tandis que Racine serait l'inventeur de la simplicité tragique qu'il perfectionnera encore dans* Bérénice *une année plus tard. Double mythe critique, qui a la vie dure, quoique viennent le contredire aussi bien certaines tragédies ultérieures de Racine, comme* Bajazet *ou* Mithridate *— sans parler d'*Athalie *—, que, inversement, l'extrême dépouillement de quelques-unes des plus belles tragédies de Corneille comme* Cinna *ou* Suréna. *La part faite à ce double mythe critique (voir la notice), il est incontestable que* Britannicus *apporte une modification considérable à la forme de la tragédie cornélienne. Contrairement à ce que laisse croire la préface, ce n'est pas au plan de la simplicité que se situe la rupture esthétique ; plus exactement ce n'est pas au sens où l'on entend traditionnellement le concept de simplicité (voir la notice). Aussi le passage clé n'est-il pas celui qui est le plus souvent cité — « une action simple, chargée de peu de matière, telle que doit être une action qui se passe en un seul jour » —, mais la proposition qui lui fait immédiatement suite : « s'avançant par degrés vers sa fin ». On la néglige comme allant de soi, alors qu'elle marque précisément la ligne de rupture la plus nette avec la dramaturgie cornélienne.*

Racine savait que le type d'intrigue préféré de

Corneille était celui-là même qu'Aristote déjà avait jugé le meilleur : une intrigue dont le dénouement est assuré par un coup de théâtre qui inverse le cours des actions et produit un effet de surprise. Cinna, *la pièce la plus admirée de Corneille au XVIIe siècle, en constituait une parfaite illustration : l'intrigue est dénouée grâce à un événement inattendu (la clémence d'Auguste) qui inverse le cours des actions (les conspirateurs devaient être condamnés à mort). Que Racine insistât au contraire sur la nécessité d'une action « s'avançant par degrés vers sa fin » montre qu'il avait bien vu que, pour rendre plus surprenant encore le retournement des actions apporté par le coup de théâtre final, Corneille avait inventé en outre un principe esthétique qui nous paraît la caractéristique la plus fondamentale de sa dramaturgie, le principe de la situation bloquée : depuis* Rodogune, *la plupart des intrigues cornéliennes sont conçues de telle sorte que chaque étape de l'action referme davantage l'impasse dans laquelle se trouve placé le héros, suscitant ainsi un pathétique intense, et nécessitant un événement (ou une décision) inattendu qui vienne trancher ce nœud inextricable — assurant par contrecoup un dénouement heureux. De là cette étiquette de tragédie providentielle que l'on colle volontiers à la tragédie cornélienne, confondant, sous prétexte que Corneille n'avait jamais rompu avec ses maîtres jésuites, esthétique et idéologie.*

Et inversement, ce n'est pas parce que Racine avait reçu l'éducation de maîtres jansénistes que son esthé-

tique paraît le résultat d'une croyance dans les voies inéluctables et impénétrables du destin. Peu importe à ce stade quels sont les éléments personnels, conscients ou inconscients, qui ont nourri son esthétique : l'essentiel est qu'il s'agisse ici d'un choix esthétique conscient, assumé et proclamé comme tel dans une préface publiée dans la foulée de la conception de la pièce. Voulant se distinguer de cette dramaturgie éminemment moderne *que Corneille avait inventée — et dont Corneille lui-même reconnaissait fièrement qu'elle n'avait pas d'exemple chez les Anciens et que pour cette raison Aristote n'avait pu en faire la théorie —, Racine a décidé pour sa part d'afficher un retour à ces sources antiques de la tragédie que Corneille avait prétendu dépasser. Aussi, face au principe dramatique de la situation bloquée, a-t-il délibérément choisi de perfectionner le principe inverse, celui de l'action continue débouchant sur un dénouement qui réalise les virtualités inscrites dans le commencement de la pièce. Nous disons virtualités, car la contrepartie de ce principe de l'action continue est l'impression de constante réversibilité de l'enchaînement tragique : la mort de Britannicus était inévitable puisque le début de la pièce contenait les prémices du drame ; mais jusqu'à la fin de l'acte IV l'étau se resserre tout en laissant espérer que Néron s'arrêtera au seuil de l'irréparable.*

Prémices du drame, en effet, que ce mystérieux enlèvement nocturne de Junie décrété sans raison apparente par Néron ; et Burrhus aura beau lui apporter des justifications politiques à la scène 2, elles se brisent contre l'inquiétude manifestée par Agrippine au commencement de la pièce, l'affolement de Britannicus à la scène 3, la conscience de son isolement expliquée à Narcisse à la scène 4. Simple pion sur l'échiquier politique qu'espère encore contrôler Agrippine, privé de l'objet de son amour comme il était déjà dépossédé de la succession impériale, surveillé dans tous ses faits et gestes par le pouvoir indiscret de Néron, Britannicus apparaît ainsi dès l'exposition comme un héros en péril, sans pour autant que son destin paraisse en quelque manière scellé. Et au début de l'acte II, si les conditions de sa disparition se mettent en place — « Néron impunément ne sera pas jaloux » (II, 2, v. 445) —, sa vie ne paraît pas encore réellement menacée, puisque à la fin du même acte (II, 8), c'est à la seule idée de tourmenter Britannicus dans son amour que Néron prend plaisir ; et c'est à la souffrance amoureuse des amants qu'est consacrée la célèbre rencontre de la scène 6, orchestrée de l'extérieur par le tyran. Dans ce même acte on assiste ainsi à un déplacement progressif du pathétique, de Junie — victime de son enlèvement et des désirs impurs de Néron — à Britannicus, doublement digne de pitié puisque, déjà dépossédé du pouvoir suprême, il se croit trahi par le seul être qui pouvait le consoler. À l'acte suivant, l'entrevue en tête à tête entre les amants supposée rassurer le jeune homme (III, 7) excite surtout la colère jalouse de Néron, rendu furieux en outre par les provocations de

Britannicus (III, 8) : désormais c'est la vie même du jeune prince qui se trouve en danger, son arrestation paraissant le premier pas vers sa perte. Paradoxalement l'acte IV dont sont absents les deux jeunes gens est celui où la pitié parvient à son comble, puisque le destin de Britannicus est tout entier entre les mains de ceux qui le défendent ou l'attaquent — sans qu'il puisse quoi que ce soit, puisqu'il ignore même que sa vie est à ce point en danger. Et c'est aussi l'acte où la réversibilité est la plus marquée, Néron expliquant à Narcisse, déjà porteur du poison destiné à Britannicus, qu'il ne souhaite pas qu'il aille plus loin (v. 1398) : « Oui, Narcisse, on nous réconcilie » (v. 1400). Cette réversibilité de la pression tragique a permis à Racine de jouer au début du dernier acte avec un autre effet dramatique, l'ironie tragique, qui consiste en la prise de conscience par le spectateur de l'aveuglement d'un héros sur son destin, déjà scellé sans qu'il le sache. Britannicus et Junie, désormais libres de leurs mouvements — donc apparemment libres de s'aimer —, reviennent en scène pour commenter la nouvelle situation. Ce qui domine, malgré les appréhensions de Junie, c'est la joie de Britannicus (V, 1) et la confiance d'Agrippine (V, 2-3), matérialisation ironique du jeu de la réversibilité, puisque tout incite le héros à croire que la pression tragique s'est relâchée alors même que la mort est en marche d'autant plus sûrement qu'elle le fait secrètement.

Cette gradation de la menace et cette réversibilité des périls qui en est la corrélation ont pour consé-

quence que le pathétique n'est pas aussi intense dans Britannicus *que dans une pièce cornélienne : la pitié consécutive à l'ironie tragique n'est pas de même nature que la pitié liée à l'affrontement direct d'un héros et d'un tyran qui menace sa vie ou à une situation qui le place, en pleine conscience, devant un dilemme paralysant et mortel. Ainsi s'explique le prolongement de l'action après la mort de Britannicus, dont Racine se justifie en 1670 dans sa préface en invoquant le patronage de Sophocle : « c'est ainsi que dans l'*Antigone *il emploie autant de vers à représenter la fureur d'Hémon et la punition de Créon après la mort de cette princesse, que j'en ai employé aux imprécations d'Agrippine, à la retraite de Junie, à la punition de Narcisse, et au désespoir de Néron, après la mort de Britannicus. » Développer les effets de cet assassinat sur les survivants, c'est en fait lâcher la bride au pathétique, un pathétique communiqué au spectateur par l'émotion de Burrhus (V, 7) et par les larmes de Junie et du peuple qui, selon le récit d'Albine (V, 8), elle-même en pleurs, a sauvé la princesse des mains de Narcisse et de Néron. Telle est l'ultime conséquence de la substitution du principe de l'action « s'avançant par degrés vers sa fin » au principe cornélien de la situation bloquée : au pathétique « moderne » de l'affrontement ou du désarroi a succédé le pathétique « à l'antique » de la déploration.*

LA PSYCHOLOGIE TRAGIQUE

On a souvent ironisé depuis trois siècles sur la critique de Britannicus *par Saint-Évremond (voir la notice) : comment un homme qui admirait sans réserve la* Rodogune *de Corneille, dominée par une figure de mère monstrueuse qui, après avoir fait périr son mari, tente d'assassiner ses deux fils, a-t-il pu sans ciller se déclarer choqué par l'horreur des crimes de Narcisse, d'Agrippine et de Néron ? En fait, ce n'est pas tant la noirceur par elle-même de ces trois personnages qui motivait la réserve de Saint-Évremond ; c'est le fait que cette noirceur ne s'affronte pas comme chez Corneille à un personnage dont la résistance héroïque — fût-elle caractérisée par une immobilité totale — entremêle étroitement à la crainte et à la pitié le sentiment de l'admiration. Or Britannicus n'est qu'une pure victime, dépourvue de toute clairvoyance sur les menées de ceux qui menacent sa vie et donc de toute possibilité de résistance héroïque. Par là, il tombe sous le coup de la critique que toute la poétique classique depuis Aristote formulait à l'encontre de ce type de personnage : si la victime de l'action tragique, expliquait Aristote, est un juste qui ne s'est rendu coupable d'aucune faute, cela ne provoque pas la crainte et la pitié, mais la répulsion. Certes, Corneille avait construit toute sa dramaturgie autour de héros parfaits, souvent opprimés par des tyrans, mais son esthétique de la réponse héroïque à une situation tragique était justement de nature à substituer l'admiration à la répulsion. En quoi Saint-Évremond voyait justement l'une des causes de la supériorité de la tragédie moderne sur la tragédie grecque : « J'aime à voir plaindre l'infortune d'un grand homme malheureux ; j'aime qu'il s'attire de la compassion, et qu'il se rende quelquefois maître de nos larmes ; mais je veux que ces larmes tendres et généreuses regardent ensemble ses malheurs et ses vertus, et qu'avec le triste sentiment de la pitié nous ayons celui d'une admiration animée, qui fasse naître en notre âme comme un amoureux désir de l'imiter »* (De la tragédie ancienne et moderne, *1674).*

Racine ne pouvait connaître ce texte à la date où il composait Britannicus, *mais il n'en ignorait aucune des idées puisqu'elles étaient depuis longtemps exprimées par les admirateurs de Corneille. Il s'est donc employé à justifier le personnage de Britannicus dans sa préface de 1670, en s'abritant derrière Aristote pour critiquer les héros parfaits cornéliens, non sans gauchir la pensée du philosophe qui voulait que le héros tragique commette une faute : transformant la faute en « imperfection », il a estimé que son extrême jeunesse faisait de Britannicus un véritable personnage tragique, entendu au sens d'une victime « capable d'exciter la compassion ». Ainsi, par rapport à l'esthétique cornélienne, la rupture sur le plan de l'action tragique se double-t-elle d'une rupture sur le plan de la conception des personnages : loin d'avoir cherché à transformer la victime de la tragédie en héros, Racine a tenté de rester le plus possible fidèle à l'image du Britannicus historique au nom d'une dramaturgie de l'attendrissement, mais aussi au nom d'une esthétique du* naturel, *qui caractérise tous les personnages, et tout particulièrement le tyran.*

À en croire le poète, Néron a été jugé par certains ou trop cruel, ou pas assez cruel (préface de 1670). Cette apparente contradiction qu'il se fait un plaisir de dénoncer en montrant que son personnage était à la fois l'un et l'autre parce qu'il n'en était qu'au début de sa carrière criminelle — « c'est ici un monstre naissant » — révèle en fait l'exacte nature de la nouveauté de ce caractère par rapport à la dramaturgie cornélienne. Racine a renoncé à un principe fondamental chez Corneille qui est celui de la perfection *de la peinture du caractère. Mettre un monstre sur le théâtre, c'est le dépeindre dans sa plus extrême monstruosité afin de susciter la stupéfaction du spectateur — l'admiration, disait en ce sens Corneille — devant une telle démesure. Corneille en avait donné plusieurs exemples dans son théâtre, avec la reine Cléopâtre de Syrie (*Rodogune*), Marcelle (*Théodore*), le tyran Phocas (*Héraclius*), et tout récemment avec Attila. Profitant de ce que l'épisode qu'il avait décidé de mettre en scène était celui du premier crime de Néron, qui « n'a pas encore mis le feu à Rome [...], n'a pas tué sa mère, sa femme, ses gouverneurs » (préface de 1670), et qui passait encore pour vertueux, Racine a pu s'échapper sans peine du modèle cornélien auquel il reproche de « s'écarter du naturel pour* se jeter dans l'extraordinaire ». Néron n'est donc chez lui qu'un criminel médiocre, au sens positif qu'on donnait à ce mot au XVIIe siècle, de milieu entre les extrêmes : apparemment naturel, parce qu'il oscille entre son passé vertueux qui n'est plus qu'un masque et son impatience à pouvoir s'abandonner sans frein à ses passions, entre l'influence de Burrhus et celle de Narcisse ; et parce que ce qui produit la révélation de sa monstruosité jusqu'alors enfouie et encore hésitante, c'est un sentiment tout humain, la passion amoureuse avec son cortège de désirs irrépressibles et de violences jalouses.

Ainsi est-on mieux en mesure de comprendre ce qui distingue la première tragédie romaine de Racine de la plus récente des tragédies romaines de Corneille, Othon. Le rapprochement s'impose d'autant plus qu'il a été explicitement recherché par Racine : les deux pièces traitent de moments très voisins de l'histoire romaine et elles s'appuient l'une et l'autre sur des événements analysés en détail par Tacite : Othon, ancien compagnon de débauches de Néron — Racine y fait une allusion au vers 1205 —, est le deuxième des trois empereurs qui se sont succédé en quelques mois (69 apr. J.-C.) durant les troubles consécutifs au suicide de Néron, au terme desquels Vespasien prit le pouvoir. En outre Britannicus consacre comme Othon une bonne part de son intrigue au développement des mécanismes de la prise du pouvoir. Mais une fois notés ces rapprochements, tout diverge. Ce qui intéresse Corneille, c'est de construire une intrigue à *partir d'un mince fait historique, puis d'inventer un caractère de héros qui soit en corrélation avec elle : soit un ancien compagnon de débauches de Néron qui, éloigné de Rome par celui-ci avec le titre de gouverneur d'Espagne, s'est montré un administrateur vertueux, et qui, après s'être emparé de l'empire et avoir ensuite perdu une bataille contre le général révolté Vitellius, a préféré se suicider plutôt que continuer à faire couler le sang des Romains en poursuivant la guerre pour sauver son pouvoir. Pour Corneille un tel homme ne peut être qu'un vrai héros et ce ne peut être qu'à son corps défendant qu'il s'est emparé de l'empire en laissant assassiner l'éphémère successeur de Néron, le faible sénateur Galba. Dès lors, le sujet d'*Othon*, c'est la prise du pouvoir par le seul homme qui paraissait digne de s'en emparer au moment où s'effondrait un régime corrompu ; et c'est la manière dont cet homme a tâché de conserver sa dignité et son intégrité au milieu d'une débâcle qui aurait mis sa propre vie en danger s'il n'avait pris les devants en se révoltant. Aussi Corneille a-t-il mis Tacite à contribution pour décrire une cour dangereuse, des intrigants retors, un vieil empereur hésitant entre les conseils de ceux-ci ; mais il a créé un Othon que n'aurait pas reconnu Tacite, en accordant le caractère de son personnage aux données de son sujet.*

Racine, à l'inverse, avec Néron n'a pas construit un caractère à partir d'un sujet. Il a choisi de dramatiser une histoire dans laquelle étaient d'emblée liés un sujet — l'assassinat de Britannicus par Néron —

et un caractère. C'est en rassemblant tous les éléments dispersés chez Tacite où Néron se montrait dans son hypocrisie, sa cruauté, sa faiblesse, sa jalousie qu'il a élaboré un Néron qui aurait été tel, quel que fût le sujet particulier de la pièce. Il va de soi qu'on pourrait élargir ces remarques aux autres personnages de la pièce, particulièrement à cette étonnante Agrippine, forte et faible, retorse et naïve, majestueuse et trépignante, effrayante et pitoyable, dont le poète dira dans sa préface de 1675 : « C'est elle que je me suis surtout efforcé de bien exprimer » ; entendons exprimer d'après Tacite, et non pas d'après l'exigence théorique de la perfection du caractère. Telle est la source principale du naturel *racinien : dans l'imitation poétique des données multiples et quelquefois contradictoires des écrivains chez lesquels il a pris son sujet. Et telle est l'origine de la fascination qu'exerce depuis trois siècles la tragédie racinienne : dans cette dialectique du naturel et de la noblesse de l'expression poétique — qui peut pencher tantôt vers l'élégie avec Britannicus et Junie, tantôt vers la joute oratoire avec Burrhus, Agrippine et Narcisse —, qui double la dialectique de la lenteur et de la violence. Bref, une cérémonie tragique, comme on dit quelquefois, mais une cérémonie tragique naturelle, ce qui serait une contradiction dans les termes chez tout autre que Racine.*

GEORGES FORESTIER

Britannicus

TRAGÉDIE

À MONSEIGNEUR LE DUC DE CHEVREUSE[1]

MONSEIGNEUR,

Vous serez peut-être étonné de voir votre nom à la tête de cet ouvrage. Et si je vous avais demandé la permission de vous l'offrir, je doute si je l'aurais obtenue. Mais ce serait être en quelque sorte ingrat, que de cacher plus longtemps au monde les bontés dont vous m'avez toujours honoré. Quelle apparence qu'un homme qui ne travaille que pour la gloire, se puisse taire d'une protection aussi glorieuse que la vôtre? Non, MONSEIGNEUR, il m'est trop avantageux que l'on sache que mes amis mêmes ne vous sont pas indifférents, que vous prenez part à tous mes ouvrages, et que vous m'avez procuré l'honneur de lire celui-ci devant un homme dont toutes les heures

1. Cette épître ne figure que dans l'édition originale. Le duc de Chevreuse (1646-1712), comme toute sa famille (et comme Racine), était lié à Port-Royal où il avait été élève. En 1667, il avait épousé la fille aînée du plus puissant des ministres de Louis XIV, Colbert. Une fois n'est pas coutume dans les morceaux d'éloge que constituent les épîtres dédicatoires, les qualités du duc que vante Racine sont attestées par les contemporains.

sont précieuses [1]. Vous fûtes témoin avec quelle pénétration d'esprit il jugea l'économie de la pièce, et combien l'idée qu'il s'est formée d'une excellente tragédie, est au-delà de tout ce que j'en ai pu concevoir. Ne craignez pas, MONSEIGNEUR, que je m'engage plus avant, et que n'osant le louer en face, je m'adresse à vous pour le louer avec plus de liberté. Je sais qu'il serait dangereux de le fatiguer de ses louanges. Et j'ose dire que cette même modestie, qui vous est commune avec lui, n'est pas un des moindres liens qui vous attachent l'un à l'autre. La modération n'est qu'une vertu ordinaire, quand elle ne se rencontre qu'avec des qualités ordinaires. Mais qu'avec toutes les qualités et du cœur et de l'esprit, qu'avec un jugement qui, ce semble, ne devrait être le fruit que de l'expérience de plusieurs années, qu'avec mille belles connaissances que vous ne sauriez cacher à vos amis particuliers, vous ayez encore cette sage retenue que tout le monde admire chez vous, c'est sans doute une vertu rare en un siècle où l'on fait vanité des moindres choses. Mais je me laisse emporter insensiblement à la tentation de parler de vous. Il faut qu'elle soit bien violente, puisque je n'ai pu y résister dans une lettre où je n'avais autre dessein que de vous témoigner avec combien de respect je suis,

MONSEIGNEUR,

Votre très humble et très obéissant serviteur,

RACINE.

1. Colbert, beau-père du duc (voir la note 1, p. 33).

PRÉFACE DE 1670

De tous les ouvrages que j'ai donnés au public, il n'y en a point qui m'ait attiré plus d'applaudissements ni plus de censeurs que celui-ci. Quelque soin que j'aie pris pour travailler cette tragédie, il semble qu'autant que je me suis efforcé de la rendre bonne, autant de certaines gens se sont efforcés de la décrier. Il n'y a point de cabale qu'ils n'aient faite, point de critique dont ils ne se soient avisés. Il y en a qui ont pris même le parti de Néron contre moi. Ils ont dit que je le faisais trop cruel. Pour moi je croyais que le nom seul de Néron faisait entendre quelque chose de plus que cruel. Mais peut-être qu'ils raffinent sur son histoire, et veulent dire qu'il était honnête homme dans ses premières années. Il ne faut qu'avoir lu Tacite pour savoir que s'il a été quelque temps un bon empereur, il a toujours été un très méchant homme. Il ne s'agit point dans ma tragédie des affaires du dehors. Néron est ici dans son particulier et dans sa famille. Et ils me dispenseront de leur rapporter tous les passages, qui pourraient bien aisément leur prouver que je n'ai point de réparation à lui faire.

D'autres ont dit au contraire que je l'avais fait trop bon. J'avoue que je ne m'étais pas formé l'idée d'un bon homme en la personne de Néron. Je l'ai toujours regardé comme un monstre. Mais c'est ici un monstre naissant. Il n'a pas encore mis le feu à Rome. Il n'a pas tué sa mère, sa femme, ses gouverneurs. À cela près il me semble qu'il lui échappe assez de cruautés, pour empêcher que personne ne le méconnaisse.

Quelques-uns ont pris l'intérêt de Narcisse, et se sont plaints que j'en eusse fait un très méchant homme et le confident de Néron. Il suffit d'un passage pour leur répondre. Néron, dit Tacite, porta impatiemment la mort de Narcisse, parce que cet affranchi avait une conformité merveilleuse avec les vices du prince encore cachés. *Cujus abditis adhuc vitiis mire congruebat*[1].

Les autres se sont scandalisés que j'eusse choisi un homme aussi jeune que Britannicus pour le héros d'une tragédie. Je leur ai déclaré dans la préface d'*Andromaque* les sentiments d'Aristote sur le héros de la tragédie, et que bien loin d'être parfait, il faut toujours qu'il ait quelque imperfection[2]. Mais je leur dirai encore ici qu'un jeune prince de dix-sept

1. *Annales*, livre XIII, chap. 1 : ces mots sont traduits dans la phrase qui précède.

2. En fait, Aristote (dans son ouvrage intitulé *Poétique*) ne parle pas d'imperfection : il dit qu'un héros de tragédie ne doit pas être un homme absolument vertueux, mais un homme susceptible de faire une *erreur* (*hamartia*). C'est probablement pour battre en brèche la conception cornélienne du héros parfait que Racine semble ainsi gauchir le texte du philosophe. Quoi qu'il en soit, il ne le gauchit pas autant qu'on le croit généralement :

ans[1], qui a beaucoup de cœur, beaucoup d'amour, beaucoup de franchise et beaucoup de crédulité, qualités ordinaires d'un jeune homme[2], m'a semblé très capable d'exciter la compassion. Je n'en veux pas davantage.

Mais, disent-ils, ce prince n'entrait que dans sa quinzième année lorsqu'il mourut. On le fait vivre, lui et Narcisse, deux ans plus qu'ils n'ont vécu. Je n'aurais point parlé de cette objection, si elle n'avait été faite avec chaleur par un homme[3], qui s'est donné la liberté de faire régner vingt ans un empereur qui n'en

---

en définissant immédiatement après les caractéristiques traditionnellement attribuées à la jeunesse (voir ci-dessous la note 2), il entend faire comprendre qu'il y a dans ces « qualités » largement de quoi pousser son jeune héros à faire une erreur tragique.

1. Racine parle ici de son héros et non du Britannicus historique qui avait en fait quatorze ans, comme il l'explique au paragraphe suivant.

2. Cette définition des « qualités ordinaires d'un jeune homme » relève d'un raisonnement de nature strictement rhétorique : les quatre qualités énoncées par Racine viennent en droite ligne du chapitre de la *Rhétorique* d'Aristote consacré aux « Caractères » (livre II, chap. 12) — en l'occurrence au caractère de « la jeunesse ». Les traités modernes de rhétorique n'avaient fait que reprendre et prolonger ces classifications, et les traités de poétique les avaient adaptées à la fiction. Lorsque ces « qualités » sont portées à l'excès, elles font commettre une « faute » au héros (voir aux v. 287-288 la manière dont Britannicus est caractérisé par Agrippine dès son entrée en scène : « Quelle *ardeur inquiète* / Parmi vos ennemis *en aveugle* vous jette ? »).

3. Racine désigne clairement Corneille et sa tragédie *Héraclius* (« J'ai prolongé de douze ans la durée de l'empire de Phocas », expliquait celui-ci dans la préface de sa pièce). Ce type d'entorse historique n'était effectivement pas jugée anormale dans la tragédie classique.

a régné que huit : quoique ce changement soit bien plus considérable dans la chronologie, où l'on suppute les temps par les années des empereurs.

Junie ne manque pas non plus de censeurs. Ils disent que d'une vieille coquette nommée Junia Silana, j'en ai fait une jeune fille très sage. Qu'auraient-ils à me répondre, si je leur disais que cette Junie est un personnage inventé, comme l'Émilie de *Cinna*, comme la Sabine d'*Horace* ? Mais j'ai à leur dire que s'ils avaient bien lu l'histoire, ils auraient trouvé une Junia Calvina, de la famille d'Auguste, sœur de Silanus à qui Claudius avait promis Octavie. Cette Junie était jeune, belle, et, comme dit Sénèque : *festivissima omnium puellarum*[1]. Elle aimait tendrement son frère, *et leurs ennemis*, dit Tacite, *les accusèrent tous deux d'inceste, quoiqu'ils ne fussent coupables que d'un peu d'indiscrétion*[2]. Si je la représente plus retenue qu'elle n'était, je n'ai pas ouï dire qu'il nous fût défendu de rectifier les mœurs d'un personnage, surtout lorsqu'il n'est pas connu.

L'on trouve étrange qu'elle paraisse sur le théâtre, après la mort de Britannicus[3]. Certainement la délicatesse est grande de ne pas vouloir qu'elle dise en

1. « La plus charmante de toutes les jeunes filles » (Sénèque, *Apocolokyntos*, VIII).
2. Tacite, *Annales*, XII, 4.
3. Ce retour sur scène de Junie constituait l'ancienne scène VI de l'acte V (voir la variante du v. 1647 et la variante de la scène suivante). Malgré son argumentation, Racine a fini par se rendre aux critiques et a supprimé cette scène lors de la seconde édition (1675).

quatre vers assez touchants qu'elle passe chez Octavie. Mais, disent-ils, cela ne valait pas la peine de la faire revenir. Un autre l'aurait pu raconter pour elle. Ils ne savent pas qu'une des règles du théâtre est de ne mettre en récit que les choses qui ne se peuvent passer en action ; et que tous les Anciens font venir souvent sur la scène des acteurs, qui n'ont autre chose à dire, sinon qu'ils viennent d'un endroit, et qu'ils s'en retournent en un autre.

Tout cela est inutile, disent mes censeurs. La pièce est finie au récit de la mort de Britannicus, et l'on ne devrait point écouter le reste. On l'écoute pourtant, et même avec autant d'attention qu'aucune fin de tragédie. Pour moi j'ai toujours compris que la tragédie étant l'imitation d'une action complète, où plusieurs personnes concourent, cette action n'est point finie que l'on ne sache en quelle situation elle laisse ces mêmes personnes. C'est ainsi que Sophocle en use presque partout. C'est ainsi que dans l'*Antigone* il emploie autant de vers à représenter la fureur d'Hémon et la punition de Créon après la mort de cette princesse[1], que j'en ai employé[2] aux imprécations d'Agrippine, à la retraite de Junie, à la punition de Narcisse, et au désespoir de Néron, après la mort de Britannicus[3].

Que faudrait-il faire pour contenter des juges si difficiles ? La chose serait aisée pour peu qu'on vou-

1. Sophocle, *Antigone*, v. 1223-1353 (131 vers).
2. *Employés* dans l'éd. de 1670.
3. V. 1647-1768 (122 vers auxquels il faut ajouter les 12 vers de l'ancienne scène VI qui figurait dans l'éd. de 1670).

lût trahir le bon sens. Il ne faudrait que s'écarter du naturel pour se jeter dans l'extraordinaire. Au lieu d'une action simple, chargée de peu de matière, telle que doit être une action qui se passe en un seul jour, et qui s'avançant par degrés vers sa fin, n'est soutenue que par les intérêts, les sentiments, et les passions des personnages, il faudrait remplir cette même action de quantité d'incidents qui ne se pourraient passer qu'en un mois, qu'un grand nombre de jeux de théâtre d'autant plus surprenants qu'ils seraient moins vraisemblables, d'une infinité de déclamations où l'on ferait dire aux acteurs tout le contraire de ce qu'ils devraient dire. Il faudrait par exemple représenter quelque héros ivre, qui se voudrait faire haïr de sa maîtresse de gaieté de cœur, un Lacédémonien grand parleur, un conquérant qui ne débiterait que des maximes d'amour, une femme qui donnerait des leçons de fierté à des conquérants[1]. Voilà sans doute de quoi

1. Ces allusions caricaturales renvoient à quatre des plus récentes pièces de Corneille : 1) *Attila* (1667) — 2) *Agésilas* (1666) — 3) *Sertorius* (1662) — 4) *Sophonisbe* (1664). Certains éditeurs de Racine ont cru que les deux dernières allusions renvoient aux personnages de César et de Cornélie dans *La Mort de Pompée* (1643). Outre qu'on ne voit pas pourquoi Racine serait allé chercher une pièce de Corneille déjà vieille de vingt-cinq ans (et devenue l'un de ses classiques), Sertorius, considéré comme un des plus grands chefs de guerre de l'Antiquité, méritait pleinement le titre de conquérant et, à la différence de César dont les amours pour Cléopâtre étaient demeurées célèbres, l'histoire n'avait pas conservé le souvenir d'une seule de ses aventures amoureuses : l'ironie de la réflexion de Racine est donc bien plus forte s'agissant de Sertorius que de César ;

faire récrier[1] tous ces messieurs. Mais que dirait cependant le petit nombre de gens sages auxquels je m'efforce de plaire ? De quel front oserais-je me montrer, pour ainsi dire, aux yeux de ces grands hommes de l'Antiquité que j'ai choisis pour modèles ? Car, pour me servir de la pensée d'un Ancien[2], voilà les véritables spectateurs que nous devons nous proposer, et nous devons sans cesse nous demander : Que diraient Homère et Virgile s'ils lisaient ces vers ? Que dirait Sophocle s'il voyait représenter cette scène ? Quoi qu'il en soit, je n'ai point prétendu empêcher qu'on ne parlât contre mes ouvrages. Je l'aurais prétendu inutilement. *Quid de te alii loquantur ipsi videant.* dit Cicéron, *sed loquentur tamen*[3].

Je prie seulement le lecteur de me pardonner cette petite préface que j'ai faite pour lui rendre raison de ma tragédie. Il n'y a rien de plus naturel que de se défendre quand on se croit injustement attaqué. Je vois que Térence même semble n'avoir fait des prologues, que pour se justifier contre les critiques d'un

---

quant à Sophonisbe, elle donne effectivement des « leçons de fierté » à *des* conquérants (les Romains représentés par Lélius, lieutenant de Scipion, et par le tribun Lépide) — et non pas comme Cornélie au seul César.

1. Récrier : s'exclamer (d'admiration).

2. Il s'agit du rhéteur grec Longin (ou pseudo-Longin) dans le traité *Du Sublime* (XII), qui sera traduit pour la première fois en français par Boileau en 1674.

3. « Ce que les autres diront de toi ne concerne qu'eux-mêmes, mais ils parleront quand même » (Cicéron, *République*, VI, 16).

vieux poète malintentionné, *malevoli veteris poetae*[1], et qui venait briguer des voix contre lui jusqu'aux heures où l'on représentait ses comédies.

Occepta est agi :
Exclamat, etc.[2]

On me pouvait faire une difficulté qu'on ne m'a point faite. Mais ce qui est échappé aux spectateurs pourra être remarqué par les lecteurs. C'est que je fais entrer Junie dans les vestales, où, selon Aulu-Gelle[3], on ne recevait personne au-dessous de six ans, ni au-dessus de dix. Mais le peuple prend ici Junie sous sa protection et j'ai cru qu'en considération de sa naissance, de sa vertu, et de son malheur, il pouvait la dispenser de l'âge prescrit par les lois, comme il a dispensé de l'âge pour le consulat, tant de grands hommes qui avaient mérité ce privilège.

Enfin je suis très persuadé qu'on me peut faire bien d'autres critiques, sur lesquelles je n'aurais d'autre parti à prendre que celui d'en profiter à l'avenir. Mais je plains fort le malheur d'un homme qui travaille

1. « D'un vieux poète malintentionné », comme vient de le traduire Racine. Térence visait Luscius de Lavinium (v. 6 et 7 du prologue de *L'Andrienne*).

2. « On a commencé à jouer la pièce : il s'écrie, etc. » (Térence, *L'Eunuque*, prologue, v. 22-23). Racine vise très précisément Corneille dans ce « vieux poète malintentionné » qui fait des commentaires à voix haute dès le commencement de la pièce. Voir la notice.

3. Dans les *Nuits attiques* (I, 12).

pour le public. Ceux qui voient le mieux nos défauts, sont ceux qui les dissimulent le plus volontiers. Ils nous pardonnent les endroits qui leur ont déplu, en faveur de ceux qui leur ont donné du plaisir. Il n'y a rien au contraire de plus injuste qu'un ignorant. Il croit toujours que l'admiration est le partage des gens qui ne savent rien. Il condamne toute une pièce pour une scène qu'il n'approuve pas. Il s'attaque même aux endroits les plus éclatants pour faire croire qu'il a de l'esprit. Et pour peu que nous résistions à ses sentiments, il nous traite de présomptueux qui ne veulent croire personne, et ne songe pas qu'il tire quelquefois plus de vanité d'une critique fort mauvaise, que nous n'en tirons d'une assez bonne pièce de théâtre.

Homine imperito numquam quidquam
injustius[1].

1. «Il n'est personne de plus injuste qu'un ignorant» (Térence, *Les Adelphes*, v. 99).

PRÉFACE DE 1675-1697

Voici celle de mes tragédies que je puis dire que j'ai le plus travaillée. Cependant j'avoue que le succès ne répondit pas d'abord à mes espérances. À peine elle parut sur le théâtre, qu'il s'éleva quantité de critiques qui semblaient la devoir détruire. Je crus moi-même que sa destinée serait à l'avenir moins heureuse que celle de mes autres tragédies. Mais enfin il est arrivé de cette pièce ce qui arrivera toujours des ouvrages qui auront quelque bonté. Les critiques se sont évanouies. La pièce est demeurée. C'est maintenant celle des miennes que la cour et le public revoient le plus volontiers. Et si j'ai fait quelque chose de solide, et qui mérite quelque louange, la plupart des connaisseurs demeurent d'accord que c'est ce même *Britannicus*.

À la vérité j'avais travaillé sur des modèles qui m'avaient extrêmement soutenu dans la peinture que je voulais faire de la cour d'Agrippine et de Néron. J'avais copié mes personnages d'après le plus grand peintre de l'Antiquité, je veux dire d'après Tacite. Et j'étais alors si rempli de la lecture de cet excellent historien, qu'il n'y a presque pas un trait éclatant dans ma tragédie, dont il ne m'ait donné l'idée. J'avais voulu mettre dans ce recueil un extrait des plus beaux endroits que j'ai tâché d'imiter. Mais j'ai trouvé que cet extrait tiendrait presque autant de place que la tragédie. Ainsi le lecteur trouvera bon que je le renvoie à cet auteur, qui aussi bien est entre les mains de tout le monde. Et je me contenterai de rapporter ici quelques-uns de ses passages sur chacun des personnages que j'introduis sur la scène.

Pour commencer par Néron, il faut se souvenir qu'il est ici dans les premières années de son règne, qui ont été heureuses comme l'on sait. Ainsi il ne m'a pas été permis de le représenter aussi méchant qu'il a été depuis. Je ne le représente pas, non plus, comme un homme vertueux : car il ne l'a jamais été. Il n'a pas encore tué sa mère, sa femme, ses gouverneurs : mais il a en lui les semences de tous ces crimes. Il commence à vouloir secouer le joug. Il les hait les uns et les autres, et il leur cache sa haine sous de fausses caresses, *Factus natura velare odium fallacibus blanditiis*[1]. En un mot c'est ici un monstre naissant, mais qui n'ose encore se déclarer, et qui « cherche des couleurs à ses méchantes actions », *Hactenus Nero flagitiis et sceleribus velamenta quaesivit*[2]. Il ne pouvait

1. « Naturellement constitué pour voiler sa haine sous de feintes caresses » (*Annales*, XIV, 56).

2. « C'est jusqu'à ce moment seulement que Néron chercha des voiles pour ses dérèglements et ses crimes » (*Annales*, XIII, 47).

souffrir Octavie, « princesse d'une bonté et d'une vertu exemplaires », *fato quodam, an quia praevalent illicita. Metuebaturque ne in stupra feminarum illustrium prorumperet*[1].

Je lui donne Narcisse pour confident. J'ai suivi en cela Tacite qui dit que « Néron porta impatiemment la mort de Narcisse, parce que cet affranchi avait une conformité merveilleuse avec les vices du prince encore cachés » ; *Cujus abditis adhuc vitiis mire congruebat*[2]. Ce passage prouve deux choses. Il prouve et que Néron était déjà vicieux, mais qu'il dissimulait ses vices, et que Narcisse l'entretenait dans ses mauvaises inclinations.

J'ai choisi Burrhus pour opposer un honnête homme à cette peste de cour. Et je l'ai choisi plutôt que Sénèque. En voici la raison. « Ils étaient tous deux gouverneurs de la jeunesse de Néron, l'un pour les armes, l'autre pour les lettres. Et ils étaient fameux, Burrhus pour son expérience dans les armes et pour la sévérité de ses mœurs », *militaribus curis et severitate morum* ; « Sénèque pour son éloquence et le tour agréable de son esprit », *Seneca praeceptis eloquentiae et comitate honesta*[3]. « Burrhus, après sa mort, fut extrêmement regretté à cause de sa vertu », *Civi-*

1. « Par fatalité, ou par l'attirance pour les choses illicites ; et l'on craignait qu'il ne débauchât des femmes de haute naissance » (*Annales*, XIII, 12).

2. *Annales*, XIII, 1 : ces mots sont traduits dans la proposition immédiatement précédente.

3. *Annales*, XIII, 2.

tati grande desiderium ejus mansit per memoriam virtutis[1].

Toute leur peine était de résister à l'orgueil et à la férocité d'Agrippine, *quae cunctis malae dominationis cupidinibus flagrans, habebat in partibus Pallantem*[2]. Je ne dis que ce mot d'Agrippine : car il y aurait trop de choses à en dire. C'est elle que je me suis surtout efforcé de bien exprimer, et ma tragédie n'est pas moins la disgrâce d'Agrippine que la mort de Britannicus. « Cette mort fut un coup de foudre pour elle, et il parut (dit Tacite) par sa frayeur et par sa consternation qu'elle était aussi innocente de cette mort qu'Octavie[3]. Agrippine perdait en lui sa dernière espérance, et ce crime lui en faisait craindre un plus grand. » *Sibi supremum auxilium ereptum, et parricidii exemplum intelligebat*[4].

L'âge de Britannicus était si connu, qu'il ne m'a pas été permis de le représenter autrement que comme un jeune prince, qui avait beaucoup de cœur, beaucoup d'amour, et beaucoup de franchise, qualités ordinaires d'un jeune homme. « Il avait quinze ans, et on dit qu'il avait beaucoup d'esprit, soit qu'on dise vrai, ou que ses malheurs aient fait croire cela de lui, sans qu'il ait pu en donner des marques. » *Neque segnem ei fuisse*

1. *Annales*, XIV, 51.
2. « Qui brûlant de toutes les passions d'un pouvoir malfaisant, avait fait de Pallas son allié » (*Annales*, XIII, 2).
3. *Annales*, XIII, 16.
4. « Elle comprenait que son ultime ressource lui avait été enlevée et que c'était là un exemple de parricide » (*ibidem*).

indolem ferunt, sive verum, seu periculis commendatus retinuit famam sine experimento[1].

Il ne faut pas s'étonner s'il n'a auprès de lui qu'un aussi méchant homme que Narcisse. « Car il y avait longtemps qu'on avait donné ordre qu'il n'y eût auprès de Britannicus, que des gens qui n'eussent ni foi, ni honneur. » *Nam ut proximus quisque Britannico, neque fas neque fidem pensi haberet, olim provisum erat*[2].

Il me reste à parler de Junie. Il ne la faut pas confondre avec une vieille coquette qui s'appelait Junia Silana. C'est ici une autre Junie que Tacite appelle Junia Calvina, de la famille d'Auguste, sœur de Silanus à qui Claudius avait promis Octavie. Cette Junie était jeune, belle, et comme dit Sénèque, *festivissima omnium puellarum.* « Son frère et elle s'aimaient tendrement, et leurs ennemis (dit Tacite) les accusèrent tous deux d'inceste, quoiqu'ils ne fussent coupables que d'un peu d'indiscrétion. Elle vécut jusqu'au règne de Vespasien. »

Je la fais entrer dans les vestales, quoique selon Aulu-Gelle on n'y reçût jamais personne au-dessous de six ans, ni au-dessus de dix. Mais le peuple prend ici Junie sous sa protection. Et j'ai cru qu'en considération de sa naissance, de sa vertu, et de son malheur, il pouvait la dispenser de l'âge prescrit par les lois, comme il a dispensé de l'âge pour le consulat tant de grands hommes qui avaient mérité ce privilège.

1. *Annales*, XII, 26 : ces mots sont traduits dans la phrase qui précède.
2. *Annales*, XIII, 15 : ces mots sont traduits dans la phrase qui précède.

ACTEURS

NÉRON, empereur, fils d'Agrippine[1].
BRITANNICUS, fils de l'empereur Claudius[2].
AGRIPPINE, veuve de Domitius Enobarbus, père de Néron, et en secondes noces veuve de l'empereur Claudius.
JUNIE, amante de Britannicus[3].
BURRHUS, gouverneur de Néron.
NARCISSE, gouverneur de Britannicus.
ALBINE, confidente d'Agrippine.
Gardes.

La scène est à Rome, dans une chambre[4] du palais de Néron.

1. Le vrai nom de Néron était Domitius (voir le v. 18), qui était celui de la famille de son père (les Domitius Ahenobarbus : voir le v. 36). Mais comme il touchait aux *Nero* par sa mère Agrippine — fille de l'illustre Germanicus et nièce de Claudius (ou Claude) qu'elle épousa (voir le v. 38) —, Claude lui permit en l'adoptant d'abandonner le nom des Domitius et de prendre celui des Nero (*Annales*, XII, 25-26). Voir le tableau généalogique, p. 216.
2. Et de la célèbre Messaline.
3. Amant, amante : désigne — indépendamment de toute relation sexuelle — celui ou celle qui aime en étant aimé(e) (voir les v. 452, 954).
4. C'est-à-dire une antichambre, au seuil de l'appartement de Néron (voir le v. 4). Dans sa partie rédigée en 1678, le mémoire manuscrit des décorateurs de l'Hôtel de Bourgogne (généralement appelé *Mémoire de Mahelot*) mentionnera pour *Britannicus* : « Théâtre est un palais à volonté. Il faut deux portes, deux fauteuils pour le 4e acte ; des rideaux. » Ces rideaux étaient nécessaires à la scène d'espionnage de Junie et Britannicus par Néron (II, 6), et les fauteuils étaient introduits à l'acte IV pour l'entretien entre Néron et Agrippine (IV, 2).

ACTE I

SCÈNE PREMIÈRE

AGRIPPINE, ALBINE

ALBINE

Quoi ! tandis que Néron s'abandonne au sommeil,
Faut-il que vous veniez attendre son réveil ?
Qu'errant dans le palais sans suite et sans escorte
La mère de César[1] veille seule à sa porte ?
Madame, retournez dans votre appartement. 5

AGRIPPINE

Albine, il ne faut pas s'éloigner un moment.
Je veux l'attendre ici. Les chagrins[2] qu'il me cause,
M'occuperont assez tout le temps qu'il repose.
Tout ce que j'ai prédit n'est que trop assuré.

1. César désigne ici Néron : depuis Auguste, successeur de César, tous les empereurs portent le surnom de César.
2. Chagrins : inquiétude.

10 Contre Britannicus Néron s'est déclaré.
L'impatient Néron cesse de se contraindre,
Las de se faire aimer il veut se faire craindre.
Britannicus le gêne, Albine, et chaque jour
Je sens que je deviens importune à mon tour.

ALBINE

15 Quoi ? vous à qui Néron doit le jour qu'il respire ?
Qui l'avez appelé de si loin à l'empire ?
Vous qui déshéritant le fils de Claudius[1],
Avez nommé César l'heureux Domitius ?
Tout lui parle, Madame, en faveur d'Agrippine.
20 Il vous doit son amour.

AGRIPPINE

Il me le doit, Albine.
Tout s'il est généreux[2] lui prescrit cette loi ;
Mais tout, s'il est ingrat, lui parle contre moi.

ALBINE

S'il est ingrat, Madame ? Ah ! toute sa conduite
Marque dans son devoir une âme trop instruite.
25 Depuis trois ans entiers qu'a-t-il dit, qu'a-t-il fait,
Qui ne promette à Rome un empereur parfait ?
Rome depuis deux ans par ses soins gouvernée[3]

1. C'est-à-dire Britannicus.
2. Généreux : noble de cœur et d'esprit.
3. Var. *depuis trois ans* 1670-1675
En corrigeant ici « trois ans » en « deux ans » (mais il a omis de faire la correction aux v. 25 et 462), Racine a voulu distin-

Au temps de ses consuls croit être retournée,
Il la gouverne en père. Enfin Néron naissant
A toutes les vertus d'Auguste vieillissant[1]. 30

AGRIPPINE

Non, non, mon intérêt ne me rend point injuste;
Il commence, il est vrai, par où finit Auguste.
Mais crains, que l'avenir détruisant le passé,
Il ne finisse ainsi qu'Auguste a commencé[2].
Il se déguise en vain. Je lis sur son visage 35
Des fiers Domitius l'humeur triste[3], et sauvage.

---

guer l'adoption de Néron par Claude (trois ans) et son arrivée au pouvoir (deux ans). En fait, un an aurait été plus proche de la vérité historique (c'est d'ailleurs la durée qu'indique Britannicus, v. 327) : Néron, devenu empereur en octobre 54 après J.-C., a fait empoisonner Britannicus vers février 55.

1. L'idée de comparer les heureux débuts du règne de Néron aux dernières années de celui d'Auguste vient de Sénèque (*De la clémence*, I, 11).

2. Après l'assassinat de Jules César, en 44 avant J.-C., la constitution d'un triumvirat entre Octave (le futur Auguste), Antoine et Lépide s'accompagna de sanglantes proscriptions contre l'opposition républicaine (43 av. J.-C.). Cette violence fut de courte durée, mais elle marqua les esprits, et Auguste eut à réprimer de nombreux complots au début de son règne personnel. Il gracia cependant les membres de la conjuration de Cinna, ce qui changea définitivement son image. Cette double image (sanglante / généreuse) joue un rôle essentiel dans la tragédie de Corneille, *Cinna*.

3. Humeur : tempérament, constitution morale. Triste s'entend au sens latin : sombre, renfrogné. Dans ses *Vies des douze Césars* («Néron», VI, 5), Suétone trace un portrait extraordinairement violent de Domitius, père de Néron, d'emblée décrit comme «un individu abominable dans toutes les périodes de sa vie».

Il mêle avec l'orgueil, qu'il a pris dans leur sang,
La fierté des Nérons, qu'il puisa dans mon flanc.
Toujours la tyrannie a d'heureuses prémices.
40 De Rome pour un temps Caïus[1] fut les délices,
Mais sa feinte bonté se tournant en fureur,
Les délices de Rome en devinrent l'horreur.
Que m'importe, après tout, que Néron plus fidèle
D'une longue vertu laisse un jour le modèle ?
45 Ai-je mis dans sa main le timon de l'État,
Pour le conduire au gré du peuple et du sénat ?
Ah ! Que de la patrie il soit, s'il veut, le père.
Mais qu'il songe un peu plus qu'Agrippine est sa mère.
De quel nom cependant pouvons-nous appeler
50 L'attentat que le jour vient de nous révéler ?
Il sait, car leur amour ne peut être ignorée[2],
Que de Britannicus Junie est adorée :
Et ce même Néron que la vertu conduit,
Fait enlever Junie au milieu de la nuit.
55 Que veut-il ? Est-ce haine, est-ce amour qui l'inspire ?
Cherche-t-il seulement le plaisir de leur nuire ?
Ou plutôt n'est-ce point que sa malignité
Punit sur eux l'appui que je leur ai prêté ?

1. Caïus, connu sous le surnom de Caligula, sombra rapidement dans la folie. C'était le frère d'Agrippine.

2. *Amour* au singulier peut être indifféremment féminin (comme ici) ou masculin : le féminin apparaît uniquement lorsque la rime exige que l'adjectif ou le participe qu'accompagne *amour* soit au féminin.

ALBINE

Vous leur appui, Madame ?

AGRIPPINE

Arrête, chère Albine.
Je sais, que j'ai moi seule avancé leur ruine, 60
Que du trône, où le sang l'a dû faire monter[1]
Britannicus par moi s'est vu précipiter.
Par moi seule éloigné de l'hymen d'Octavie
Le frère de Junie abandonna la vie,
Silanus, sur qui Claude avait jeté les yeux, 65
Et qui comptait Auguste au rang de ses aïeux[2].
Néron jouit de tout, et moi pour récompense
Il faut qu'entre eux et lui je tienne la balance,
Afin que quelque jour par une même loi
Britannicus la tienne entre mon fils et moi. 70

ALBINE

Quel dessein !

1. Où sa naissance *aurait dû* le faire monter. Fils de l'empereur Claude, Britannicus en aurait été l'unique héritier si Agrippine, deuxième épouse de l'empereur, n'avait pas forcé celui-ci à marier sa fille Octavie à Néron puis à adopter celui-ci (voir le tableau généalogique, p. 216).

2. Octavie, fille de Claude et sœur de Britannicus, avait été fiancée à Lucius Silanus, arrière-petit-fils de Julie, la fille d'Auguste. Pour empêcher ce mariage et permettre à Néron d'épouser ultérieurement Octavie, Agrippine fit accuser Silanus d'inceste avec sa sœur Junie (Junia Calvina). Il se suicida peu après, le jour même du mariage d'Agrippine avec Claude (le jour du mariage d'Octavie avec Néron selon Racine au v. 1142).

AGRIPPINE

Je m'assure un port dans la tempête.
Néron m'échappera si ce frein ne l'arrête.

ALBINE

Mais prendre contre un fils tant de soins superflus ?

AGRIPPINE

Je le craindrais bientôt, s'il ne me craignait plus.

ALBINE

75 Une injuste frayeur vous alarme peut-être.
Mais si Néron pour vous n'est plus ce qu'il doit être,
Du moins son changement ne vient pas jusqu'à nous,
Et ce sont des secrets entre César et vous.
Quelques titres nouveaux que Rome lui défère,
80 Néron n'en reçoit point qu'il ne donne à sa mère.
Sa prodigue amitié ne se réserve rien.
Votre nom est dans Rome aussi saint que le sien.
À peine parle-t-on de la triste Octavie.
Auguste votre aïeul honora moins Livie.
85 Néron devant sa mère a permis le premier
Qu'on portât les faisceaux couronnés de laurier[1].
Quels effets voulez-vous de sa reconnaissance ?

1. Néron fut le premier empereur qui permit que l'on portât devant sa mère les faisceaux (comme devant un magistrat romain).

AGRIPPINE

Un peu moins de respect, et plus de confiance.
Tous ces présents, Albine, irritent mon dépit.
Je vois mes honneurs croître, et tomber mon crédit. 90
Non, non, le temps n'est plus que Néron jeune encore
Me renvoyait les vœux d'une cour, qui l'adore ;
Lorsqu'il se reposait sur moi de tout l'État,
Que mon ordre au palais assemblait le sénat,
Et que derrière un voile, invisible, et présente 95
J'étais de ce grand corps l'âme toute-puissante.
Des volontés de Rome alors mal assuré,
Néron de sa grandeur n'était point enivré.
Ce jour, ce triste jour frappe encor ma mémoire,
Où Néron fut lui-même ébloui de sa gloire, 100
Quand les ambassadeurs de tant de rois divers
Vinrent le reconnaître au nom de l'univers.
Sur son trône avec lui j'allais prendre ma place.
J'ignore quel conseil prépara ma disgrâce :
Quoi qu'il en soit, Néron d'aussi loin qu'il me vit 105
Laissa sur son visage éclater son dépit.
Mon cœur même en conçut un malheureux augure.
L'ingrat d'un faux respect colorant son injure,
Se leva par avance, et courant m'embrasser,
Il m'écarta du trône, où je m'allais placer[1]. 110

1. L'épisode — comme le précédent (v. 93-96) — est historique, mais la scène moins solennelle : il ne s'agissait pas de l'hommage rendu par l'ensemble des nations au nouvel empereur, mais de la réception officielle d'ambassadeurs arméniens venus plaider la cause de leur peuple. Le « conseil » (v. 104) qui

Depuis ce coup fatal, le pouvoir d'Agrippine
Vers sa chute, à grands pas, chaque jour s'achemine.
L'ombre seule m'en reste, et l'on n'implore plus
Que le nom de Sénèque, et l'appui de Burrhus.

ALBINE

115 Ah ! si de ce soupçon votre âme est prévenue,
Pourquoi nourrissez-vous le venin qui vous tue ?
Daignez avec César vous éclaircir du moins[1].

AGRIPPINE

César ne me voit plus, Albine, sans témoins.
En public, à mon heure, on me donne audience.
120 Sa réponse est dictée, et même son silence.
Je vois deux surveillants, ses maîtres, et les miens,
Présider l'un ou l'autre à tous nos entretiens.
Mais je le poursuivrai d'autant plus qu'il m'évite.
De son désordre, Albine, il faut que je profite.
125 J'entends du bruit, on ouvre, allons subitement
Lui demander raison de cet enlèvement.
Surprenons, s'il se peut, les secrets de son âme.
Mais quoi ? Déjà Burrhus sort de chez lui ?

---

incita Néron à empêcher sa mère de présider l'audience avec lui fut celui de Sénèque (voir Tacite, *Annales*, XIII, 5).

1. Var. *Allez avec César* 1670-1675

SCÈNE II

AGRIPPINE, BURRHUS, ALBINE

BURRHUS

Madame,
Au nom de l'empereur j'allais vous informer
D'un ordre, qui d'abord a pu vous alarmer, 130
Mais qui n'est que l'effet d'une sage conduite,
Dont César a voulu que vous soyez instruite.

AGRIPPINE

Puisqu'il le veut, entrons, il m'en instruira mieux.

BURRHUS

César pour quelque temps s'est soustrait à nos yeux.
Déjà par une porte au public moins connue, 135
L'un et l'autre consul[1] vous avaient prévenue[2],
Madame. Mais souffrez que je retourne exprès...

AGRIPPINE

Non, je ne trouble point ses augustes secrets.
Cependant voulez-vous qu'avec moins de contrainte
L'un et l'autre une fois nous nous parlions sans feinte ? 140

1. Instruit par le destin de César, assassiné pour avoir voulu se faire couronner roi, Auguste accumula tous les pouvoirs tout en conservant la fiction du régime républicain : le sénat continua à siéger et deux consuls à être élus chaque année. Tous ses successeurs, même les plus tyranniques, firent de même.
2. Prévenir : devancer.

BURRHUS

Burrhus pour le mensonge eut toujours trop d'horreur.

AGRIPPINE

Prétendez-vous longtemps me cacher l'empereur ?
Ne le verrai-je plus qu'à titre d'importune ?
Ai-je donc élevé si haut votre fortune,
145 Pour mettre une barrière entre mon fils et moi ?
Ne l'osez-vous laisser un moment sur sa foi ?
Entre Sénèque et vous disputez-vous la gloire
À qui m'effacera plus tôt de sa mémoire ?
Vous l'ai-je confié pour en faire un ingrat ?
150 Pour être sous son nom les maîtres de l'État ?
Certes plus je médite, et moins je me figure
Que vous m'osiez compter pour votre créature ;
Vous dont j'ai pu[1] laisser vieillir l'ambition
Dans les honneurs obscurs de quelque légion,
155 Et moi qui sur le trône ai suivi mes ancêtres,
Moi fille, femme, sœur, et mère de vos maîtres[2].
Que prétendez-vous donc ? Pensez-vous que ma voix
Ait fait un empereur pour m'en imposer trois ?

1. Dont *j'aurais pu*.
2. Voir le tableau généalogique. Agrippine était la fille de Germanicus (qui mourut cependant avant son oncle Tibère auquel il aurait succédé), la sœur de Caligula, la femme de Claude (frère de Germanicus), et pour finir la mère de Néron. Cet énoncé vient de Tacite (*Annales*, XII, 42), mais un mois avant la création de *Britannicus*, Bossuet venait de l'utiliser dans son oraison funèbre d'Henriette de France (« Une grande reine, fille, femme, mère de rois si puissants »).

Néron n'est plus enfant. N'est-il pas temps qu'il
[règne ?
Jusqu'à quand voulez-vous que l'empereur vous
[craigne ? 160
Ne saurait-il rien voir, qu'il n'emprunte vos yeux ?
Pour se conduire enfin n'a-t-il pas ses aïeux ?
Qu'il choisisse s'il veut, d'Auguste, ou de Tibère.
Qu'il imite s'il peut, Germanicus mon père.
Parmi tant de héros je n'ose me placer. 165
Mais il est des vertus que je lui puis tracer.
Je puis l'instruire au moins, combien sa confidence
Entre un sujet et lui doit laisser de distance.

BURRHUS

Je ne m'étais chargé dans cette occasion,
Que d'excuser César d'une seule action. 170
Mais puisque sans vouloir que je le justifie,
Vous me rendez garant du reste de sa vie,
Je répondrai, Madame, avec la liberté
D'un soldat, qui sait mal farder la vérité.
Vous m'avez de César confié la jeunesse, 175
Je l'avoue, et je dois m'en souvenir sans cesse.
Mais vous avais-je fait serment de le trahir,
D'en faire un empereur, qui ne sût qu'obéir ?
Non. Ce n'est plus à vous qu'il faut que j'en réponde.
Ce n'est plus votre fils. C'est le maître du monde. 180
J'en dois compte, Madame, à l'empire romain,
Qui croit voir son salut, ou sa perte en ma main.
Ah ! si dans l'ignorance il le fallait instruire,

N'avait-on que Sénèque, et moi pour le séduire[1] ?
185 Pourquoi de sa conduite éloigner les flatteurs ?
Fallait-il dans l'exil chercher des corrupteurs[2] ?
La cour de Claudius en esclaves fertile,
Pour deux que l'on cherchait en eût présenté mille,
Qui tous auraient brigué l'honneur de l'avilir.
190 Dans une longue enfance ils l'auraient fait vieillir.
De quoi vous plaignez-vous, Madame ? On vous révère.
Ainsi que par César, on jure par sa mère[3].
L'empereur, il est vrai, ne vient plus chaque jour
Mettre à vos pieds l'empire, et grossir votre cour.
195 Mais le doit-il, Madame ? Et sa reconnaissance
Ne peut-elle éclater que dans sa dépendance ?
Toujours humble, toujours le timide Néron
N'ose-t-il être Auguste, et César que de nom ?
Vous le dirai-je enfin ? Rome le justifie.
200 Rome à trois affranchis si longtemps asservie[4],
À peine respirant du joug qu'elle a porté,
Du règne de Néron compte sa liberté.
Que dis-je ? La vertu semble même renaître.
Tout l'empire n'est plus la dépouille d'un maître.
205 Le peuple au champ de Mars nomme ses magistrats ;

1. Séduire : détourner du droit chemin, corrompre (voir aussi les v. 914, 1136, 1537).
2. Agrippine a fait rappeler Sénèque d'exil pour lui faire partager avec Burrhus l'éducation de Néron.
3. Il s'agit là d'un embellissement poétique : Tacite dit seulement que Néron, après avoir fait mourir sa mère, l'avait accusée devant le sénat d'avoir voulu (*speravisset*) que les cohortes prétoriennes jurassent par son nom (*Annales*, XIV, 11).
4. L'empereur Claude se laissait mener par les conseils de ses trois affranchis, Narcisse, Pallas et Calliste.

César nomme les chefs sur la foi des soldats.
Thraséas au sénat, Corbulon dans l'armée[1],
Sont encore innocents, malgré leur renommée.
Les déserts autrefois peuplés de sénateurs
Ne sont plus habités que par leurs délateurs. 210
Qu'importe que César continue à nous croire,
Pourvu que nos conseils ne tendent qu'à sa gloire ?
Pourvu que dans le cours d'un règne florissant
Rome soit toujours libre, et César tout-puissant ?
Mais, Madame, Néron suffit pour se conduire. 215
J'obéis, sans prétendre à l'honneur de l'instruire.
Sur ses aïeux sans doute il n'a qu'à se régler.
Pour bien faire, Néron n'a qu'à se ressembler :
Heureux, si ses vertus l'une à l'autre enchaînées
Ramènent tous les ans ses premières années ! 220

AGRIPPINE

Ainsi sur l'avenir n'osant vous assurer
Vous croyez que sans vous Néron va s'égarer.
Mais vous, qui jusqu'ici content de votre ouvrage,
Venez de ses vertus nous rendre témoignage,
Expliquez-nous, pourquoi devenu ravisseur 225
Néron de Silanus fait enlever la sœur ?
Ne tient-il qu'à marquer de cette ignominie
Le sang de mes aïeux, qui brille dans Junie[2] ?

1. Thrasea Paetus, considéré par Tacite comme l'incarnation de la vertu, finira par recevoir de Néron l'ordre de mourir ; quant à Corbulon, qui ne profitera pas de sa gloire militaire pour se révolter, il sera assassiné.

2. Var. *Le sang de nos aïeux* 1670-1687

De quoi l'accuse-t-il ? Et par quel attentat
230 Devient-elle en un jour criminelle d'État ?
Elle, qui sans orgueil jusqu'alors élevée,
N'aurait point vu Néron, s'il ne l'eût enlevée,
Et qui même aurait mis au rang de ses bienfaits
L'heureuse liberté de ne le voir jamais.

BURRHUS

235 Je sais que d'aucun crime elle n'est soupçonnée.
Mais jusqu'ici César ne l'a point condamnée,
Madame, aucun objet ne blesse ici ses yeux.
Elle est dans un palais tout plein de ses aïeux.
Vous savez que les droits qu'elle porte avec elle
240 Peuvent de son époux faire un prince rebelle,
Que le sang de César ne se doit allier
Qu'à ceux à qui César le veut bien confier ;
Et vous-même avouerez qu'il ne serait pas juste,
Qu'on disposât sans lui de la nièce d'Auguste[1].

AGRIPPINE

245 Je vous entends. Néron m'apprend par votre voix
Qu'en vain Britannicus s'assure sur mon choix.
En vain pour détourner ses yeux de sa misère,

Tous sont issus du couple impérial Auguste-Livie, mais les premiers descendent seulement du premier mariage d'Auguste (par sa fille Julie), tandis qu'Agrippine descend à la fois d'Auguste (elle est la petite-fille de Julie et la fille de la première Agrippine) et du premier mariage de Livie (par son grand-père Drusus et son père Germanicus). Voir le tableau généalogique.

1. Nièce au sens de descendante (de même que *neveu* au v. 1734).

J'ai flatté son amour d'un hymen qu'il espère.
À ma confusion Néron veut faire voir
Qu'Agrippine promet par-delà son pouvoir. 250
Rome de ma faveur est trop préoccupée[1],
Il veut par cet affront qu'elle soit détrompée,
Et que tout l'univers apprenne avec terreur
À ne confondre plus mon fils et l'empereur.
Il le peut. Toutefois j'ose encore lui dire 255
Qu'il doit avant ce coup affermir son empire,
Et qu'en me réduisant à la nécessité
D'éprouver contre lui ma faible autorité,
Il expose la sienne, et que dans la balance
Mon nom peut-être aura plus de poids qu'il ne pense. 260

BURRHUS

Quoi Madame ? Toujours soupçonner son respect ?
Ne peut-il faire un pas qui ne vous soit suspect ?
L'empereur vous croit-il du parti de Junie ?
Avec Britannicus vous croit-il réunie ?
Quoi ! de vos ennemis devenez-vous l'appui 265
Pour trouver un prétexte à vous plaindre de lui ?
Sur le moindre discours qu'on pourra vous redire,
Serez-vous toujours prête à partager l'empire ?
Vous craindrez-vous sans cesse, et vos
[embrassements
Ne se passeront-ils qu'en éclaircissements ? 270
Ah ! Quittez d'un censeur la triste diligence.
D'une mère facile affectez l'indulgence.

1. Préoccupée : persuadée par avance.

Souffrez quelques froideurs sans les faire éclater.
Et n'avertissez point la cour de vous quitter.

AGRIPPINE

275 Et qui s'honorerait de l'appui d'Agrippine
Lorsque Néron lui-même annonce ma ruine[1] ?
Lorsque de sa présence il semble me bannir ?
Quand Burrhus à sa porte ose me retenir ?

BURRHUS

Madame, je vois bien qu'il est temps de me taire,
280 Et que ma liberté commence à vous déplaire.
La douleur est injuste, et toutes les raisons
Qui ne la flattent point aigrissent ses soupçons.
Voici Britannicus. Je lui cède ma place.
Je vous laisse écouter, et plaindre sa disgrâce,
285 Et peut-être, Madame, en accuser les soins
De ceux que l'empereur a consultés le moins.

SCÈNE III

AGRIPPINE, BRITANNICUS, NARCISSE, ALBINE

AGRIPPINE

Ah Prince ! où courez-vous ? Quelle ardeur inquiète
Parmi vos ennemis en aveugle vous jette ?
Que venez-vous chercher ?

1. Var. *sa ruine* 1670

BRITANNICUS

Ce que je cherche ? Ah dieux !
Tout ce que j'ai perdu, Madame, est en ces lieux. 290
De mille affreux soldats Junie environnée
S'est vue en ce palais indignement traînée.
Hélas ! de quelle horreur ses timides esprits
À ce nouveau spectacle auront été surpris !
Enfin on me l'enlève. Une loi trop sévère 295
Va séparer deux cœurs qu'assemblait leur misère.
Sans doute on ne veut pas que mêlant nos douleurs
Nous nous aidions l'un l'autre à porter nos malheurs.

AGRIPPINE

Il suffit. Comme vous je ressens vos injures.
Mes plaintes ont déjà précédé vos murmures. 300
Mais je ne prétends pas qu'un impuissant courroux
Dégage ma parole, et m'acquitte envers vous.
Je ne m'explique point. Si vous voulez m'entendre,
Suivez-moi chez Pallas[1], où je vais vous attendre.

1. Pallas était l'un des affranchis de Claude (voir plus haut, n. 4 p. 62) : il avait permis l'ascension d'Agrippine et de son fils Néron (voir plus loin les v. 811-814). Ayant par ailleurs accumulé une fortune considérable (Claude lui avait confié l'administration du trésor de l'empereur), il était d'une suffisance insupportable (voir les v. 823-824).

SCÈNE IV

BRITANNICUS, NARCISSE

BRITANNICUS

305 La croirai-je, Narcisse ? Et dois-je sur sa foi
La prendre pour arbitre entre son fils et moi ?
Qu'en dis-tu ? N'est-ce pas cette même Agrippine,
Que mon père épousa jadis pour sa ruine,
Et qui, si je t'en crois, a de ses derniers jours
310 Trop lents pour ses desseins précipité le cours ?

NARCISSE

N'importe. Elle se sent comme vous outragée.
À vous donner Junie elle s'est engagée.
Unissez vos chagrins, liez vos intérêts.
Ce palais retentit en vain de vos regrets.
315 Tandis qu'on vous verra d'une voix suppliante[1],
Semer ici la plainte, et non pas l'épouvante,
Que vos ressentiments se perdront en discours,
Il n'en faut point douter, vous vous plaindrez toujours.

BRITANNICUS

Ah, Narcisse ! Tu sais si de la servitude
320 Je prétends faire encore une longue habitude.
Tu sais si pour jamais de ma chute étonné[2]

1. Var. *Tant que l'on vous verra* 1670-1687
2. Étonné : effrayé, paralysé de stupeur (voir aussi les v. 377, 397 [étonnement], 506, 603, 1034, 1193, 1739).

Je renonce à l'empire, où j'étais destiné[1].
Mais je suis seul encor. Les amis de mon père
Sont autant d'inconnus que glace ma misère[2].
Et ma jeunesse même écarte loin de moi 325
Tous ceux qui dans le cœur me réservent leur foi.
Pour moi depuis un an, qu'un peu d'expérience
M'a donné de mon sort la triste connaissance,
Que vois-je autour de moi, que des amis vendus
Qui sont de tous mes pas les témoins assidus, 330
Qui choisis par Néron pour ce commerce infâme
Trafiquent avec lui des secrets de mon âme ?
Quoi qu'il en soit, Narcisse, on me vend tous les jours.
Il prévoit mes desseins, il entend mes discours.
Comme toi dans mon cœur il sait ce qui se passe. 335
Que t'en semble, Narcisse ?

NARCISSE

Ah ! Quelle âme assez basse…
C'est à vous de choisir des confidents discrets,
Seigneur, et de ne pas prodiguer vos secrets.

BRITANNICUS

Narcisse, tu dis vrai. Mais cette défiance
Est toujours d'un grand cœur la dernière science. 340
On le trompe longtemps. Mais enfin, je te crois.
Ou plutôt je fais vœu de ne croire que toi.

1. Var. *Je renonce aux grandeurs* 1670-1675
2. Var. *Sont autant d'inconnus qu'écarte ma misère*
Et ma jeunesse même éloigne loin de moi 1670

Mon père, il m'en souvient, m'assura de ton zèle.
Seul de ses affranchis tu m'es toujours fidèle.
345 Tes yeux sur ma conduite incessamment ouverts
M'ont sauvé jusqu'ici de mille écueils couverts[1].
Va donc voir si le bruit de ce nouvel orage
Aura de nos amis excité le courage.
Examine leurs yeux. Observe leurs discours.
350 Vois si j'en puis attendre un fidèle secours.
Surtout dans ce palais remarque avec adresse
Avec quel soin Néron fait garder la princesse.
Sache si du péril ses beaux yeux sont remis,
Et si son entretien m'est encore permis.
355 Cependant de Néron je vais trouver la mère
Chez Pallas comme toi l'affranchi de mon père.
Je vais la voir, l'aigrir, la suivre, et s'il se peut
M'engager sous son nom plus loin qu'elle ne veut.

1. Couverts : cachés. Voir aussi le v. 1507.

ACTE II

SCÈNE PREMIÈRE

NÉRON, BURRHUS, NARCISSE, Gardes.

NÉRON

N'en doutez point, Burrhus ; malgré ses injustices,
C'est ma mère, et je veux ignorer ses caprices. 360
Mais je ne prétends plus ignorer ni souffrir
Le ministre insolent qui les ose nourrir.
Pallas de ses conseils empoisonne ma mère ;
Il séduit chaque jour Britannicus mon frère,
Ils l'écoutent tout seul[1], et qui suivrait leurs pas 365
Les trouverait peut-être assemblés chez Pallas.
C'en est trop. De tous deux il faut que je l'écarte.
Pour la dernière fois, qu'il s'éloigne, qu'il parte :
Je le veux, je l'ordonne ; et que la fin du jour
Ne le retrouve pas dans Rome, ou dans ma cour. 370
Allez, cet ordre importe au salut de l'empire.
Vous, Narcisse, approchez. Et vous, qu'on se retire.

1. Var. *Ils l'écoutent lui seul* 1670

SCÈNE II

NÉRON, NARCISSE

NARCISSE

Grâces aux dieux, Seigneur, Junie entre vos mains
Vous assure aujourd'hui du reste des Romains.
375 Vos ennemis déchus de leur vaine espérance
Sont allés chez Pallas pleurer leur impuissance.
Mais que vois-je ? Vous-même inquiet, étonné,
Plus que Britannicus paraissez consterné.
Que présage à mes yeux cette tristesse obscure,
380 Et ces sombres regards errants à l'aventure ?
Tout vous rit. La fortune obéit à vos vœux.

NÉRON

Narcisse, c'en est fait. Néron est amoureux.

NARCISSE

Vous ?

NÉRON

Depuis un moment, mais pour toute ma vie.
J'aime (que dis-je, aimer ?) j'idolâtre Junie.

NARCISSE

385 Vous l'aimez ?

NÉRON

Excité d'un désir curieux
Cette nuit je l'ai vue arriver en ces lieux,
Triste, levant au ciel ses yeux mouillés de larmes,
Qui brillaient au travers des flambeaux et des armes.
Belle, sans ornements[1], dans le simple appareil
D'une beauté qu'on vient d'arracher au sommeil. 390
Que veux-tu ? Je ne sais si cette négligence,
Les ombres, les flambeaux, les cris, et le silence,
Et le farouche aspect de ses fiers ravisseurs
Relevaient de ses yeux les timides douceurs.
Quoi qu'il en soit, ravi d'une si belle vue, 395
J'ai voulu lui parler et ma voix s'est perdue ;
Immobile, saisi d'un long étonnement
Je l'ai laissé passer dans son appartement.
J'ai passé dans le mien. C'est là que solitaire
De son image en vain j'ai voulu me distraire. 400
Trop présente à mes yeux je croyais lui parler.
J'aimais jusqu'à ses pleurs que je faisais couler.
Quelquefois, mais trop tard, je lui demandais grâce.
J'employais les soupirs, et même la menace.
Voilà comme occupé de mon nouvel amour 405
Mes yeux sans se fermer ont attendu le jour.
Mais je m'en fais peut-être une trop belle image.
Elle m'est apparue avec trop d'avantage,
Narcisse, qu'en dis-tu ?

1. Var. *sans ornement* 1670-1675

NARCISSE

Quoi, Seigneur ! croira-t-on
410 Qu'elle ait pu si longtemps se cacher à Néron ?

NÉRON

Tu le sais bien, Narcisse. Et soit que sa colère
M'imputât le malheur qui lui ravit son frère,
Soit que son cœur jaloux d'une austère fierté
Enviât à nos yeux[1] sa naissante beauté,
415 Fidèle à sa douleur, et dans l'ombre enfermée
Elle se dérobait même à sa renommée ;
Et c'est cette vertu si nouvelle à la cour
Dont la persévérance irrite mon amour.
Quoi Narcisse ? Tandis qu'il n'est point de Romaine
420 Que mon amour n'honore et ne rende plus vaine,
Qui dès qu'à ses regards elle ose se fier,
Sur le cœur de César ne les vienne essayer ;
Seule dans son palais la modeste Junie
Regarde leurs honneurs comme une ignominie ;
425 Fuit, et ne daigne pas peut-être s'informer
Si César est aimable, ou bien s'il sait aimer ?
Dis-moi, Britannicus l'aime-t-il.

NARCISSE

Quoi ! s'il l'aime,
Seigneur ?

1. Enviât à nos yeux : dérobât (par jalousie) à nos yeux.

NÉRON

Si jeune encor se connaît-il lui-même ?
D'un regard enchanteur connaît-il le poison ?

NARCISSE

Seigneur, l'amour toujours n'attend pas la raison. 430
N'en doutez point, il l'aime. Instruits par tant de
[charmes,
Ses yeux sont déjà faits à l'usage des larmes.
À ses moindres désirs il sait s'accommoder ;
Et peut-être déjà sait-il persuader.

NÉRON

Que dis-tu ? sur son cœur il aurait quelque empire ? 435

NARCISSE

Je ne sais. Mais, Seigneur, ce que je puis vous dire,
Je l'ai vu quelquefois s'arracher de ces lieux,
Le cœur plein d'un courroux qu'il cachait à vos yeux,
D'une cour qui le fuit pleurant l'ingratitude,
Las de votre grandeur, et de sa servitude, 440
Entre l'impatience et la crainte flottant ;
Il allait voir Junie, et revenait content.

NÉRON

D'autant plus malheureux qu'il aura su lui plaire,
Narcisse, il doit plutôt souhaiter sa colère.
Néron impunément ne sera pas jaloux. 445

NARCISSE

Vous? Et de quoi, Seigneur, vous inquiétez-vous?
Junie a pu le plaindre et partager ses peines,
Elle n'a vu couler de larmes que les siennes.
Mais aujourd'hui, Seigneur, que ses yeux dessillés
450 Regardant de plus près l'éclat dont vous brillez,
Verront autour de vous les rois sans diadème,
Inconnus dans la foule[1], et son amant lui-même,
Attachés sur vos yeux s'honorer d'un regard
Que vous aurez sur eux fait tomber au hasard;
455 Quand elle vous verra de ce degré de gloire,
Venir en soupirant avouer sa victoire,
Maître, n'en doutez point, d'un cœur déjà charmé
Commandez qu'on vous aime, et vous serez aimé.

NÉRON

À combien de chagrins il faut que je m'apprête!
460 Que d'importunités.

NARCISSE

Quoi donc? Qui vous arrête,
Seigneur?

1. Ces rois sans diadème, qui demeurent inconnus dans la foule, représentent un thème presque obligé dans les tragédies à sujet romain: l'empereur romain, qui n'a pas le titre de roi, compte pourtant des rois (dépossédés de leur royaume par les armées romaines) au nombre de ses courtisans.

NÉRON

Tout. Octavie, Agrippine, Burrhus,
Sénèque, Rome entière, et trois ans de vertus.
Non que pour Octavie un reste de tendresse[1]
M'attache à son hymen et plaigne sa jeunesse.
Mes yeux depuis longtemps fatigués de ses soins, 465
Rarement de ses pleurs daignent être témoins.
Trop heureux si bientôt la faveur d'un divorce,
Me soulageait d'un joug qu'on m'imposa par force.
Le ciel même en secret semble la condamner.
Ses vœux depuis quatre ans ont beau l'importuner. 470
Les dieux ne montrent point que sa vertu les touche.
D'aucun gage, Narcisse, ils n'honorent sa couche,
L'empire vainement demande un héritier.

NARCISSE

Que tardez-vous, Seigneur, à la répudier ?
L'empire, votre cœur, tout condamne Octavie. 475
Auguste votre aïeul soupirait pour Livie ;
Par un double divorce ils s'unirent tous deux,
Et vous devez l'empire à ce divorce heureux[2].

1. Selon Tacite (*Annales*, XIII, 12), Néron haïssait Octavie : après la mort d'Agrippine, il la répudia, la bannit à deux reprises, et finit par la faire mourir (*Annales*, XIV, 64).

2. Auguste était marié à Scribonia, dont il avait eu une fille, Julie. Il s'en sépara pour épouser Livie. Celle-ci divorça alors de Tibérius Claudius Néron, dont elle avait un fils (le futur empereur Tibère) et dont elle attendait alors un autre fils, Drusus, le futur grand-père d'Agrippine. Ainsi les héritiers d'Auguste des-

Tibère, que l'hymen plaça dans sa famille,
480 Osa bien à ses yeux répudier sa fille[1].
Vous seul jusques ici contraire à vos désirs
N'osez par un divorce assurer vos plaisirs[2].

NÉRON

Et ne connais-tu pas l'implacable Agrippine ?
Mon amour inquiet déjà se l'imagine,
485 Qui m'amène Octavie, et d'un œil enflammé
Atteste les saints droits d'un nœud qu'elle a formé ;
Et portant à mon cœur des atteintes plus rudes,
Me fait un long récit de mes ingratitudes.
De quel front soutenir ce fâcheux entretien ?

NARCISSE

490 N'êtes-vous pas, Seigneur, votre maître et le sien ?
Vous verrons-nous toujours trembler sous sa tutelle ?
Vivez, régnez pour vous. C'est trop régner pour elle.
Craignez-vous ? Mais, Seigneur, vous ne la craignez [pas.
Vous venez de bannir le superbe Pallas,
495 Pallas, dont vous savez qu'elle soutient l'audace.

---

cendirent tous en fait de Livie et de son premier mari, y compris Britannicus et Néron (voir le tableau généalogique, p. 216).

1. Tibère, fils de Livie, épousa Julie, fille d'Auguste. Les débordements de celle-ci le conduisirent à la répudier avec l'assentiment d'Auguste lui-même, qui finit par l'exiler.

2. Dans la tragédie du pseudo-Sénèque, *Octavie* (Ier siècle apr. J.-C.), c'est Néron lui-même qui proteste ainsi : « Moi seul me verrai-je interdit ce qu'il est permis à tous de faire ? »

NÉRON

Éloigné de ses yeux, j'ordonne, je menace,
J'écoute vos conseils, j'ose les approuver,
Je m'excite contre elle et tâche à la braver.
Mais (je t'expose ici mon âme toute nue)
Sitôt que mon malheur me ramène à sa vue, 500
Soit que je n'ose encor démentir le pouvoir
De ces yeux, où j'ai lu si longtemps mon devoir,
Soit qu'à tant de bienfaits ma mémoire fidèle,
Lui soumette en secret tout ce que je tiens d'elle :
Mais enfin mes efforts ne me servent de rien, 505
Mon génie étonné tremble devant le sien[1].
Et c'est pour m'affranchir de cette dépendance
Que je la fuis partout, que même je l'offense,
Et que de temps en temps j'irrite ses ennuis[2]
Afin qu'elle m'évite autant que je la fuis. 510
Mais je t'arrête trop. Retire-toi, Narcisse.
Britannicus pourrait t'accuser d'artifice.

1. Génie : caractère, esprit (voir aussi le v. 800).
Pour tout ce passage, et particulièrement pour ce dernier vers, Racine s'est inspiré d'un épisode des *Vies parallèles* où Plutarque décrit les relations d'Antoine et d'Octave (héritier de César et futur Auguste). Toujours vaincu au jeu par Octave, Antoine consulta un devin égyptien qui lui expliqua : « Ton génie redoute le sien : fier et hardi quand il est seul, il perd devant celui de César [= Octave] toute sa grandeur et devient faible et timide » (*Vie d'Antoine*, XL). Shakespeare a mis en scène cet épisode dans son *Antoine et Cléopâtre* (II, 3).

2. Ennuis : motifs de plainte ou de chagrin (voir aussi v. 1577) ; au singulier (v. 1721 et 1741), souffrance, désespoir.

NARCISSE

Non, non, Britannicus s'abandonne à ma foi.
Par son ordre, Seigneur, il croit que je vous vois,
515 Que je m'informe ici de tout ce qui le touche,
Et veut de vos secrets être instruit par ma bouche.
Impatient surtout de revoir ses amours
Il attend de mes soins ce fidèle secours.

NÉRON

J'y consens ; porte-lui cette douce nouvelle.
520 Il la verra.

NARCISSE

Seigneur, bannissez-le loin d'elle.

NÉRON

J'ai mes raisons Narcisse, et tu peux concevoir,
Que je lui vendrai cher le plaisir de la voir.
Cependant vante-lui ton heureux stratagème.
Dis-lui qu'en sa faveur on me trompe moi-même,
525 Qu'il la voit sans mon ordre. On ouvre, la voici.
Va retrouver ton maître et l'amener ici.

SCÈNE III

NÉRON, JUNIE

NÉRON

Vous vous troublez, Madame, et changez de visage.
Lisez-vous dans mes yeux quelque triste présage ?

JUNIE

Seigneur, je ne vous puis déguiser mon erreur.
J'allais voir Octavie, et non pas l'empereur. 530

NÉRON

Je le sais bien, Madame, et n'ai pu sans envie
Apprendre vos bontés pour l'heureuse Octavie.

JUNIE

Vous, Seigneur ?

NÉRON

Pensez-vous, Madame, qu'en ces lieux
Seule pour vous connaître Octavie ait des yeux ?

JUNIE

Et quel autre, Seigneur, voulez-vous que j'implore ? 535
À qui demanderai-je un crime que j'ignore ?
Vous qui le punissez, vous ne l'ignorez pas.
De grâce, apprenez-moi, Seigneur, mes attentats.

NÉRON

Quoi Madame ! Est-ce donc une légère offense
540 De m'avoir si longtemps caché votre présence ?
Ces trésors dont le ciel voulut vous embellir,
Les avez-vous reçus pour les ensevelir ?
L'heureux Britannicus verra-t-il sans alarmes
Croître loin de nos yeux son amour et vos charmes ?
545 Pourquoi de cette gloire exclu jusqu'à ce jour[1],
M'avez-vous sans pitié relégué dans ma cour ?
On dit plus : vous souffrez sans en être offensée
Qu'il vous ose, Madame, expliquer sa pensée.
Car je ne croirai point que sans me consulter
550 La sévère Junie ait voulu le flatter,
Ni qu'elle ait consenti d'aimer et d'être aimée,
Sans que j'en sois instruit que par la renommée.

JUNIE

Je ne vous nierai point, Seigneur, que ses soupirs
M'ont daigné quelquefois expliquer ses désirs.
555 Il n'a point détourné ses regards d'une fille,
Seul reste du débris d'une illustre famille.

1. La formulation est ici très ambiguë : dans les éditions du XVIIe siècle, en effet, le mot est orthographié *exclus*, forme qui valait alors pour le singulier comme pour le pluriel. Si l'on interprète comme un singulier (en orthographiant *exclu*), on doit considérer que c'est Néron qui s'estime *exclu*. Mais il n'est pas impossible de considérer *exclus* comme un pluriel (selon un type de construction issu de l'ablatif absolu latin) : ce serait dans ce cas les charmes qui auraient été exclus de la gloire de croître près des yeux de Néron.

Peut-être il se souvient qu'en un temps plus heureux
Son père me nomma pour l'objet de ses vœux.
Il m'aime. Il obéit à l'empereur son père,
Et j'ose dire encore, à vous, à votre mère : 560
Vos désirs sont toujours si conformes aux siens…

NÉRON

Ma mère a ses desseins, Madame, et j'ai les miens.
Ne parlons plus ici de Claude, et d'Agrippine.
Ce n'est point par leur choix que je me détermine.
C'est à moi seul, Madame, à répondre de vous ; 565
Et je veux de ma main vous choisir un époux.

JUNIE

Ah, Seigneur, songez-vous que toute autre alliance,
Fera honte aux Césars auteurs de ma naissance ?

NÉRON

Non, Madame, l'époux dont je vous entretiens
Peut sans honte assembler vos aïeux et les siens. 570
Vous pouvez, sans rougir, consentir à sa flamme.

JUNIE

Et quel est donc, Seigneur, cet époux ?

NÉRON

Moi, Madame

JUNIE

Vous ?

NÉRON

Je vous nommerais, Madame, un autre nom,
Si j'en savais quelque autre au-dessus de Néron.
575 Oui, pour vous faire un choix, où vous puissiez
[souscrire,
J'ai parcouru des yeux la cour, Rome, et l'empire.
Plus j'ai cherché, Madame, et plus je cherche encor
En quelles mains je dois confier ce trésor :
Plus je vois que César digne seul de vous plaire
580 En doit être lui seul l'heureux dépositaire,
Et ne peut dignement vous confier qu'aux mains
À qui Rome a commis l'empire des humains.
Vous-même consultez vos premières années.
Claudius à son fils les avait destinées,
585 Mais c'était en un temps où de l'empire entier
Il croyait quelque jour le nommer l'héritier.
Les dieux ont prononcé. Loin de leur contredire,
C'est à vous de passer du côté de l'empire.
En vain de ce présent ils m'auraient honoré,
590 Si votre cœur devait en être séparé ;
Si tant de soins ne sont adoucis par vos charmes ;
Si tandis que je donne aux veilles, aux alarmes,
Des jours toujours à plaindre, et toujours enviés,
Je ne vais quelquefois respirer[1] à vos pieds.
595 Qu'Octavie à vos yeux ne fasse point d'ombrage.
Rome aussi bien que moi vous donne son suffrage,
Répudie Octavie, et me fait dénouer

1. Respirer : prendre du repos, retrouver sa tranquillité.

Un hymen que le ciel ne veut point avouer[1].
Songez-y donc, Madame, et pesez en vous-même
Ce choix digne des soins d'un prince qui vous aime ; 600
Digne de vos beaux yeux trop longtemps captivés[2],
Digne de l'univers à qui vous vous devez[3].

JUNIE

Seigneur, avec raison je demeure étonnée.
Je me vois dans le cours d'une même journée
Comme une criminelle amenée en ces lieux : 605
Et lorsque avec frayeur je parais à vos yeux,
Que sur mon innocence à peine je me fie,
Vous m'offrez tout d'un coup la place d'Octavie.
J'ose dire pourtant que je n'ai mérité
Ni cet excès d'honneur, ni cette indignité. 610
Et pouvez-vous, Seigneur, souhaiter qu'une fille
Qui vit presque en naissant éteindre sa famille,
Qui dans l'obscurité nourrissant sa douleur
S'est fait une vertu conforme à son malheur ;
Passe subitement de cette nuit profonde 615
Dans un rang qui l'expose aux yeux de tout le monde ;
Dont je n'ai pu de loin soutenir la clarté,
Et dont une autre enfin remplit la majesté ?

1. Avouer : reconnaître, confirmer (voir aussi le v. 852). Le ciel indique qu'il n'accepte pas le mariage en le laissant stérile (voir plus haut les v. 471-473).

2. Trop longtemps gardés secrets. Néron avait déjà reproché à Junie aux v. 541-542 d'avoir « enseveli » les trésors dont le ciel l'a embellie.

3. Var. *à qui vous les devez.* 1670-1675

NÉRON

Je vous ai déjà dit que je la répudie.
620 Ayez moins de frayeur, ou moins de modestie.
N'accusez point ici mon choix d'aveuglement.
Je vous réponds de vous, consentez seulement.
Du sang dont vous sortez rappelez la mémoire,
Et ne préférez point à la solide gloire
625 Des honneurs dont César prétend vous revêtir,
La gloire d'un refus, sujet au repentir.

JUNIE

Le ciel connaît, Seigneur, le fond de ma pensée.
Je ne me flatte point d'une gloire insensée.
Je sais de vos présents mesurer la grandeur.
630 Mais plus ce rang sur moi répandrait de splendeur,
Plus il me ferait honte et mettrait en lumière
Le crime d'en avoir dépouillé l'héritière[1].

NÉRON

C'est de ses intérêts prendre beaucoup de soin,
Madame, et l'amitié ne peut aller plus loin.
635 Mais ne nous flattons point, et laissons le mystère.
La sœur vous touche ici beaucoup moins que le frère,
Et pour Britannicus…

1. Fille de Claude et de Messaline, sœur de Britannicus, Octavie est en effet « l'héritière » du rang que Néron veut offrir à Junie.

JUNIE

Il a su me toucher,
Seigneur, et je n'ai point prétendu m'en cacher.
Cette sincérité sans doute est peu discrète;
Mais toujours de mon cœur ma bouche est l'interprète. 640
Absente de la cour je n'ai pas dû penser,
Seigneur, qu'en l'art de feindre il fallût m'exercer.
J'aime Britannicus. Je lui fus destinée
Quand l'empire devait suivre son hyménée[1].
Mais ces mêmes malheurs qui l'en ont écarté, 645
Ses honneurs abolis, son palais déserté,
La fuite d'une cour que sa chute a bannie,
Sont autant de liens qui retiennent Junie.
Tout ce que vous voyez conspire à vos désirs,
Vos jours toujours sereins coulent dans les plaisirs. 650
L'empire en est pour vous l'inépuisable source,
Ou si quelque chagrin en interrompt la course,
Tout l'univers soigneux de les entretenir
S'empresse à l'effacer de votre souvenir.
Britannicus est seul. Quelque ennui qui le presse 655
Il ne voit dans son sort que moi qui s'intéresse;
Et n'a pour tout plaisir, Seigneur, que quelques pleurs
Qui lui font quelquefois oublier ses malheurs.

NÉRON

Et ce sont ces plaisirs, et ces pleurs que j'envie,
Que tout autre que lui me paierait de sa vie. 660

1. Var. *semblait suivre* 1670-1675

Mais je garde à ce prince un traitement plus doux.
Madame, il va bientôt paraître devant vous.

JUNIE

Ah, Seigneur, vos vertus m'ont toujours rassurée.

NÉRON

Je pouvais de ces lieux lui défendre l'entrée.
665 Mais, Madame, je veux prévenir le danger,
Où son ressentiment le pourrait engager.
Je ne veux point le perdre[1]. Il vaut mieux que lui-même
Entende son arrêt de la bouche qu'il aime.
Si ses jours vous sont chers, éloignez-le de vous
670 Sans qu'il ait aucun lieu de me croire jaloux.
De son bannissement prenez sur vous l'offense,
Et soit par vos discours, soit par votre silence,
Du moins par vos froideurs faites-lui concevoir
Qu'il doit porter ailleurs ses vœux et son espoir.

JUNIE

675 Moi ! Que je lui prononce un arrêt si sévère !
Ma bouche mille fois lui jura le contraire.
Quand même jusque-là je pourrais me trahir :
Mes yeux lui défendront, Seigneur, de m'obéir.

NÉRON

Caché près de ces lieux je vous verrai, Madame :
680 Renfermez votre amour dans le fond de votre âme.

1. *Perdre* a ici le sens classique de « faire périr ».

Vous n'aurez point pour moi de langages secrets.
J'entendrai des regards que vous croirez muets.
Et sa perte sera l'infaillible salaire
D'un geste, ou d'un soupir échappé pour lui plaire[1].

JUNIE

Hélas ! si j'ose encor former quelques souhaits, 685
Seigneur, permettez-moi de ne le voir jamais.

SCÈNE IV

NÉRON, JUNIE, NARCISSE

NARCISSE

Britannicus, Seigneur, demande la princesse
Il approche.

NÉRON

Qu'il vienne.

1. L'idée vient de *Bélisaire* de Rotrou (1644) — pièce adaptée d'une *comedia* espagnole, *El ejemplo major de la desdicha o el capitan Belisario* de Mira de Mescua (1627) —, où l'impératrice Théodora, cherchant à se venger du héros éponyme qui l'avait autrefois rebutée, interdit à son amante de lui manifester son amour sous peine d'entraîner sa mort immédiate (I, 4). Elle réitère sa menace de faire mourir le héros à l'acte suivant au moment où l'on annonce l'arrivée de Bélisaire (II, 3). La suite logique de ces menaces réitérées est un entretien entre Anthonie et Bélisaire sous le regard de l'impératrice, cachée derrière la «jalousie» d'une fenêtre, Anthonie étant ainsi contrainte, comme Junie, de simuler la froideur envers son amant (II, 4).

JUNIE

Ah Seigneur !

NÉRON

Je vous laisse.

Sa fortune dépend de vous plus que de moi.

690 Madame, en le voyant, songez que je vous vois.

SCÈNE V

JUNIE, NARCISSE

JULIE

Ah, cher Narcisse ! cours au-devant de ton maître.
Dis-lui… Je suis perdue, et je le vois paraître.

SCÈNE VI

JUNIE, BRITANNICUS, NARCISSE

BRITANNICUS

Madame, quel bonheur me rapproche de vous ?
Quoi ? je puis donc jouir d'un entretien si doux ?
695 Mais parmi ce plaisir quel chagrin me dévore !
Hélas ! puis-je espérer de vous revoir encore ?

Faut-il que je dérobe avec mille détours
Un bonheur que vos yeux m'accordaient tous les jours ?
Quelle nuit ! quel réveil ! Vos pleurs, votre présence
N'ont point de ces cruels désarmé l'insolence ? 700
Que faisait votre amant ? Quel démon envieux
M'a refusé l'honneur de mourir à vos yeux ?
Hélas ! dans la frayeur dont vous étiez atteinte
M'avez-vous en secret adressé quelque plainte ?
Ma princesse, avez-vous daigné me souhaiter ? 705
Songiez-vous aux douleurs que vous m'alliez coûter ?
Vous ne me dites rien ? Quel accueil ! Quelle glace !
Est-ce ainsi que vos yeux consolent ma disgrâce ?
Parlez. Nous sommes seuls. Notre ennemi trompé
Tandis que je vous parle est ailleurs occupé. 710
Ménageons les moments[1] de cette heureuse absence.

JUNIE

Vous êtes en des lieux tout pleins de sa jouissance.
Ces murs mêmes[2], Seigneur, peuvent avoir des yeux,
Et jamais l'empereur n'est absent de ces lieux.

BRITANNICUS

Et depuis quand, Madame, êtes-vous si craintive ? 715
Quoi déjà votre amour souffre qu'on le captive ?
Qu'est devenu ce cœur qui me jurait toujours

1. Les éd. de 1687 et 1697 donnent ici *moyens*. Il semble que ce ne soit pas une correction mais une coquille : dans l'orthographe du XVIIe siècle, une seule lettre permet de distinguer *momens* et *moiens*.
2. Seule la 1re éd. présente ainsi *mêmes* au pluriel : le *s* a été supprimé dans les éditions ultérieures.

De faire à Néron même envier nos amours ?
Mais bannissez, Madame, une inutile crainte.
720 La foi dans tous les cœurs n'est pas encore éteinte.
Chacun semble des yeux approuver mon courroux :
La mère de Néron se déclare pour nous ;
Rome de sa conduite elle-même offensée…

JUNIE

Ah Seigneur ! vous parlez contre votre pensée.
725 Vous-même vous m'avez avoué mille fois
Que Rome le louait d'une commune voix.
Toujours à sa vertu vous rendiez quelque hommage.
Sans doute la douleur vous dicte ce langage.

BRITANNICUS

Ce discours me surprend, il le faut avouer.
730 Je ne vous cherchais pas pour l'entendre louer.
Quoi pour vous confier la douleur qui m'accable
À peine je dérobe un moment favorable,
Et ce moment si cher, Madame, est consumé
À louer l'ennemi dont je suis opprimé ?
735 Qui vous rend à vous-même en un jour si contraire ?
Quoi ! même vos regards ont appris à se taire ?
Que vois-je ? Vous craignez de rencontrer mes yeux ?
Néron vous plairait-il ? Vous serais-je odieux ?
Ah ! si je le croyais… Au nom des dieux, Madame,
740 Éclaircissez le trouble où vous jetez mon âme.
Parlez. Ne suis-je plus dans votre souvenir ?

JUNIE

Retirez-vous, Seigneur, l'empereur va venir.

BRITANNICUS

Après ce coup, Narcisse, à qui[1] dois-je m'attendre ?

SCÈNE VII

NÉRON, JUNIE, NARCISSE

NÉRON

Madame…

JUNIE

Non, Seigneur, je ne puis rien entendre.
Vous êtes obéi. Laissez couler du moins 745
Des larmes dont ses yeux ne seront pas témoins.

1. *S'attendre à quelqu'un* : compter sur quelqu'un. Seul le *Dictionnaire de l'Académie* donne ce sens, que connaît bien, pour sa part, La Fontaine : « Ne t'attends qu'à toi seul, c'est un commun proverbe » (*Fables*, IV, 22), et : « T'attendre aux yeux d'autrui quand tu dors, c'est erreur » (XI, 3).

SCÈNE VIII

NÉRON, NARCISSE

NÉRON

Hé bien ? de leur amour tu vois la violence,
Narcisse, elle a paru jusque dans son silence.
Elle aime mon rival, je ne puis l'ignorer.
750 Mais je mettrai ma joie à le désespérer.
Je me fais de sa peine une image charmante,
Et je l'ai vu douter du cœur de son amante.
Je la suis. Mon rival t'attend pour éclater.
Par de nouveaux soupçons, va, cours le tourmenter,
755 Et tandis qu'à mes yeux on le pleure, on l'adore,
Fais-lui payer bien cher un bonheur qu'il ignore[1].

NARCISSE, *seul.*

La fortune t'appelle une seconde fois[2],

1. Selon Louis Racine, ces vers provoquaient une telle indignation chez les spectateurs, que très souvent l'acteur qui jouait Narcisse ne pouvait faire entendre les quatre vers qui suivent.

2. Le précédent appel du destin avait eu lieu au moment où les agissements de la première épouse de Claude, Messaline, menaçaient l'autorité de l'empereur et peut-être même sa vie : tandis que Calliste et Pallas n'osaient bouger, Narcisse prit l'initiative de la faire accuser, dirigea personnellement la répression contre les complices de l'impératrice, et, de crainte que Claude ne se laissât attendrir par sa femme si elle était autorisée à se défendre devant lui, il ordonna son exécution (Tacite, *Annales*, XI, 26-38). Il n'y gagna pas une influence supérieure à celle

Narcisse, voudrais-tu résister à sa voix ?
Suivons jusques au bout ses ordres favorables ;
Et pour nous rendre heureux perdons les misérables. 760

---

des deux autres affranchis et ne parvint pas à imposer sa protégée auprès de Claude (voir p. 120, n. 1) : ce fut Pallas, en soutenant Agrippine, qui obtint la victoire décisive sur ses rivaux.

ACTE III

SCÈNE PREMIÈRE [1]

NÉRON, BURRHUS

BURRHUS

Pallas obéira, Seigneur.

NÉRON

Et de quel œil
Ma mère a-t-elle vu confondre son orgueil ?

1. Louis Racine rapporte que son père avait prévu ici d'ouvrir l'acte III par un entretien entre Burrhus et Narcisse, et qu'il l'avait retranché sur les conseils de Boileau. Celui-ci ayant conservé le texte de la scène, Louis Racine le retranscrit intégralement dans les *Mémoires* (voir Appendice II, p. 191). Il ajoute : « On ne trouve rien dans cette scène qui ne réponde au reste de la pièce pour la versification ; mais son ami craignit qu'elle ne produisît un mauvais effet sur les spectateurs : "Vous les indisposerez, lui dit-il, en leur montrant ces deux hommes ensemble. Pleins d'admiration pour l'un, et d'horreur pour l'autre, ils souffriront pendant leur entretien. Convient-il au gouverneur de l'Empereur, à cet homme si respectable par son rang et sa probité, de s'abaisser à parler à un misérable affran-

BURRHUS

Ne doutez point, Seigneur, que ce coup ne la frappe,
Qu'en reproches bientôt sa douleur ne s'échappe.
Ses transports dès longtemps commencent d'éclater. 765
À d'inutiles cris puissent-ils s'arrêter !

NÉRON

Quoi ? De quelque dessein la croyez-vous capable ?

BURRHUS

Agrippine, Seigneur, est toujours redoutable.
Rome, et tous vos soldats révèrent ses aïeux[1],
Germanicus son père est présent à leurs yeux. 770
Elle sait son pouvoir ; vous savez son courage,
Et ce qui me la fait redouter davantage,
C'est que vous appuyez vous-même son courroux,
Et que vous lui donnez des armes contre vous.

NÉRON

Moi, Burrhus ? 775

---

chi, le plus scélérat de tous les hommes ? Il le doit trop mépriser pour avoir avec lui quelque éclaircissement. Et d'ailleurs quel fruit espère-t-il de ses remontrances ? Est-il assez simple pour croire qu'elles feront naître quelques remords dans le cœur de Narcisse ? Lorsqu'il lui fait connaître l'intérêt qu'il prend à Britannicus, il découvre son secret à un traître, et au lieu de servir Britannicus, il en précipite la perte." Ces réflexions parurent justes, et la scène fut supprimée. »

1. Var. *honorent ses aïeux,* 1670

BURRHUS

Cet amour, Seigneur, qui vous possède…

NÉRON

Je vous entends, Burrhus, le mal est sans remède.
Mon cœur s'en est plus dit que vous ne m'en direz.
Il faut que j'aime enfin.

BURRHUS

Vous vous le figurez,
Seigneur, et satisfait de quelque résistance
780 Vous redoutez un mal faible dans sa naissance.
Mais si dans son devoir[1] votre cœur affermi
Voulait ne point s'entendre avec son ennemi,
Si de vos premiers ans vous consultiez la gloire,
Si vous daigniez, Seigneur, rappeler la mémoire
785 Des vertus d'Octavie, indignes de ce prix,
Et de son chaste amour vainqueur de vos mépris ;
Surtout si de Junie évitant la présence
Vous condamniez vos yeux à quelques jours d'absence,
Croyez-moi, quelque amour qui semble vous charmer,
790 On n'aime point, Seigneur, si l'on ne veut aimer.

NÉRON

Je vous croirai, Burrhus, lorsque dans les alarmes
Il faudra soutenir la gloire de nos armes,
Ou lorsque plus tranquille assis dans le sénat

1. Var. *Mais si dans sa fierté* 1670-1675

Il faudra décider du destin de l'État :
Je m'en reposerai sur votre expérience. 795
Mais, croyez-moi, l'amour est une autre science,
Burrhus, et je ferais quelque difficulté
D'abaisser jusque-là votre sévérité.
Adieu, je souffre trop éloigné de Junie.

SCÈNE II

BURRHUS, *seul.*

Enfin, Burrhus[1], Néron découvre son génie[2]. 800
Cette férocité que tu croyais fléchir
De tes faibles liens est prête à s'affranchir.
En quels excès peut-être elle va se répandre !
Ô dieux ! en ce malheur quel conseil[3] dois-je prendre ?
Sénèque, dont les soins me devraient soulager, 805
Occupé loin de Rome ignore ce danger.
Mais quoi ? Si d'Agrippine excitant la tendresse
Je pouvais... La voici, mon bonheur me l'adresse.

1. Var. *Hé bien, Burrhus,* 1670
2. Révèle son vrai caractère.
3. Rappelons que, dans un tel contexte, *conseil* signifie *décision.*

SCÈNE III

AGRIPPINE, BURRHUS, ALBINE

AGRIPPINE

Hé bien, je me trompais, Burrhus, dans mes soupçons ?
810 Et vous vous signalez par d'illustres leçons.
On exile Pallas, dont le crime peut-être
Est d'avoir à l'empire élevé votre maître.
Vous le savez trop bien. Jamais sans ses avis
Claude qu'il gouvernait n'eût adopté mon fils.
815 Que dis-je ? À son épouse on donne une rivale.
On affranchit Néron de la foi conjugale.
Digne emploi d'un ministre, ennemi des flatteurs,
Choisi pour mettre un frein à ses jeunes ardeurs,
De les flatter lui-même, et nourrir dans son âme
820 Le mépris de sa mère, et l'oubli de sa femme !

BURRHUS

Madame, jusqu'ici c'est trop tôt m'accuser.
L'empereur n'a rien fait qu'on ne puisse excuser.
N'imputez qu'à Pallas un exil nécessaire,
Son orgueil dès longtemps exigeait ce salaire,
825 Et l'empereur ne fait qu'accomplir à regret
Ce que toute la cour demandait en secret.
Le reste est un malheur qui n'est point sans ressource.
Des larmes d'Octavie on peut tarir la source.
Mais calmez vos transports. Par un chemin plus doux

Vous lui pourrez plus tôt ramener son époux. 830
Les menaces, les cris le rendront plus farouche.

AGRIPPINE

Ah ! l'on s'efforce en vain de me fermer la bouche.
Je vois que mon silence irrite vos dédains,
Et c'est trop respecter l'ouvrage de mes mains.
Pallas n'emporte pas tout l'appui d'Agrippine, 835
Le ciel m'en laisse assez pour venger ma ruine.
Le fils de Claudius commence à ressentir
Des crimes, dont je n'ai que le seul repentir[1].
J'irai, n'en doutez point, le montrer à l'armée,
Plaindre aux yeux des soldats son enfance opprimée, 840
Leur faire à mon exemple expier leur erreur.
On verra d'un côté le fils d'un empereur,
Redemandant la foi jurée à sa famille[2],
Et de Germanicus on entendra la fille[3] ;
De l'autre l'on verra le fils d'Ænobarbus, 845

1. Il commence à éprouver du ressentiment à l'encontre de crimes dont je n'ai pour tout fruit que le repentir.

2. Les soldats avaient prêté serment à l'empereur Claude : son fils Britannicus pourrait, en effet, leur en faire souvenir. Sauf que Claude a adopté Néron, et que c'est à lui que les mêmes soldats ont prêté un nouveau serment (voir plus loin la réponse de Burrhus : v. 860-862).

3. Agrippine se désigne ici comme la fille de Germanicus : c'est à ce titre (plutôt qu'à celui d'épouse de Claude, ou de mère de Néron) qu'elle envisagerait de haranguer les soldats. Germanicus, en effet, avait été le héros des armées de Germanie, ce qui lui avait valu son surnom, mais aussi la haine de son oncle, l'empereur Tibère, que l'on a même soupçonné de l'avoir fait empoisonner ; sa mort mystérieuse avait encore grandi son souvenir (voir une autre allusion à ce souvenir aux v. 1171-1172).

Appuyé de Sénèque, et du tribun Burrhus,
Qui tous deux de l'exil rappelés par moi-même,
Partagent à mes yeux l'autorité suprême.
De nos crimes communs je veux qu'on soit instruit.
850 On saura les chemins par où je l'ai conduit.
Pour rendre sa puissance et la vôtre odieuses,
J'avouerai[1] les rumeurs les plus injurieuses,
Je confesserai tout, exils, assassinats,
Poison même…

BURRHUS

Madame, ils ne vous croiront pas.
855 Ils sauront récuser l'injuste stratagème
D'un témoin irrité qui s'accuse lui-même.
Pour moi qui le premier secondai vos desseins,
Qui fis même jurer l'armée entre ses mains,
Je ne me repens point de ce zèle sincère.
860 Madame, c'est un fils qui succède à son père.
En adoptant Néron, Claudius par son choix
De son fils et du vôtre a confondu les droits.
Rome l'a pu choisir. Ainsi sans être injuste,
Elle choisit Tibère adopté par Auguste,
865 Et le jeune Agrippa[2] de son sang descendu
Se vit exclu du rang[3] vainement prétendu.

1. Je confirmerai.
2. Agrippa : Marcus Julius Agrippa Postumus était le fils de Julie, donc le petit-fils d'Auguste. Livie intrigua pour favoriser son propre fils Tibère : ainsi Auguste exila Agrippa, adopta Tibère et le désigna comme son successeur. Au début de son règne, Tibère fit mourir Agrippa.
3. Var. *exclu d'un rang* 1670-1675

Sur tant de fondements sa puissance établie
Par vous-même aujourd'hui ne peut être affaiblie.
Et s'il m'écoute encor, Madame, sa bonté
Vous en fera bientôt perdre la volonté. 870
J'ai commencé, je vais poursuivre mon ouvrage.

SCÈNE IV

AGRIPPINE, ALBINE

ALBINE

Dans quel emportement la douleur vous engage,
Madame ! L'empereur puisse-t-il l'ignorer.

AGRIPPINE

Ah ! lui-même à mes yeux puisse-t-il se montrer !

ALBINE

Madame, au nom des dieux, cachez votre colère. 875
Quoi pour les intérêts de la sœur ou du frère
Faut-il sacrifier le repos de vos jours ?
Contraindrez-vous César jusque dans ses amours ?

AGRIPPINE

Quoi ? tu ne vois donc pas jusqu'où l'on me ravale,
Albine ? C'est à moi qu'on donne une rivale. 880
Bientôt si je ne romps ce funeste lien,
Ma place est occupée, et je ne suis plus rien.

Jusqu'ici d'un vain titre Octavie honorée
Inutile à la cour, en était ignorée.
885 Les grâces, les honneurs par moi seule versés
M'attiraient des mortels les vœux intéressés.
Une autre de César a surpris la tendresse,
Elle aura le pouvoir d'épouse et de maîtresse,
Le fruit de tant de soins, la pompe des Césars,
890 Tout deviendra le prix d'un seul de ses regards.
Que dis-je ? L'on m'évite et déjà délaissée…
Ah je ne puis, Albine, en souffrir la pensée.
Quand je devrais du ciel hâter l'arrêt fatal[1],
Néron, l'ingrat Néron… Mais voici son rival.

SCÈNE V

BRITANNICUS, AGRIPPINE, NARCISSE, ALBINE

BRITANNICUS

895 Nos ennemis communs ne sont pas invincibles,
Madame. Nos malheurs trouvent des cœurs sensibles.
Vos amis et les miens jusqu'alors si secrets,
Tandis que nous perdions le temps en vains regrets,
Animés du courroux qu'allume l'injustice
900 Viennent de confier leur douleur à Narcisse.
Néron n'est pas encor tranquille possesseur

1. Selon Tacite, des devins chaldéens avaient appris à Agrippine que son destin était d'avoir un fils qui régnerait puis qui la tuerait. Elle se serait exclamée : « Qu'il me tue, pourvu qu'il règne ! » (*Annales*, XIV, 9).

De l'ingrate qu'il aime au mépris de ma sœur.
Si vous êtes toujours sensible à son injure[1],
On peut dans son devoir ramener le parjure.
La moitié du sénat s'intéresse pour nous. 905
Sylla, Pison, Plautus[2]...

AGRIPPINE

Prince, que dites-vous ?
Sylla, Pison, Plautus ! Les chefs de la noblesse !

BRITANNICUS

Madame, je vois bien que ce discours vous blesse,
Et que votre courroux, tremblant, irrésolu,
Craint déjà d'obtenir tout ce qu'il a voulu. 910
Non, vous avez trop bien établi ma disgrâce.
D'aucun ami pour moi ne redoutez l'audace.
Il ne m'en reste plus, et vos soins trop prudents
Les ont tous écartés ou séduits dès longtemps.

AGRIPPINE

Seigneur, à vos soupçons donnez moins de créance : 915
Notre salut dépend de notre intelligence[3].

1. Son injure : À l'affront qu'il a fait à ma sœur.
2. Cornelius Sylla (gendre de Claude) et Rubellius Plautus (neveu de Claude) touchaient à la famille impériale et pouvaient prétendre à l'empire. Néron les fit exécuter en 62 après J.-C. Quant à Pison, il fut le chef d'une importante conjuration destinée à assassiner Néron en 65 : la conjuration découverte, il se suicida (en même temps que Sénèque).
3. Intelligence : entente, collaboration, accord (voir aussi les v. 992, 1311, 1524, 1543).

J'ai promis, il suffit. Malgré vos ennemis
Je ne révoque rien de ce que j'ai promis.
Le coupable Néron fuit en vain ma colère.
920 Tôt ou tard il faudra qu'il entende sa mère.
J'essaierai tour à tour la force et la douceur.
Ou moi-même avec moi conduisant votre sœur,
J'irai semer partout ma crainte et ses alarmes,
Et ranger tous les cœurs du parti de ses larmes.
925 Adieu. J'assiégerai Néron de toutes parts.
Vous, si vous m'en croyez, évitez ses regards.

SCÈNE VI

BRITANNICUS, NARCISSE

BRITANNICUS

Ne m'as-tu point flatté d'une fausse espérance ?
Puis-je sur ton récit fonder quelque assurance,
Narcisse ?

NARCISSE

Oui. Mais, Seigneur, ce n'est pas en ces lieux
930 Qu'il faut développer ce mystère à vos yeux.
Sortons. Qu'attendez-vous ?

BRITANNICUS

Ce que j'attends, Narcisse ?
Hélas !

NARCISSE

Expliquez-vous.

BRITANNICUS

Si par ton artifice[1]
Je pouvais revoir...

NARCISSE

Qui ?

BRITANNICUS

J'en rougis. Mais enfin
D'un cœur moins agité j'attendrais mon destin.

NARCISSE

Après tous mes discours vous la croyez fidèle ? 935

BRITANNICUS

Non, je la crois, Narcisse, ingrate, criminelle,
Digne de mon courroux. Mais je sens malgré moi
Que je ne le crois pas autant que je le dois.
Dans ses égarements mon cœur opiniâtre
Lui prête des raisons, l'excuse, l'idolâtre. 940
Je voudrais vaincre enfin mon incrédulité,
Je la voudrais haïr avec tranquillité.
Et qui croira qu'un cœur si grand en apparence,
D'une infidèle cour ennemi dès l'enfance ;

1. Artifice : habileté, adresse.

945 Renonce à tant de gloire, et dès le premier jour
Trame une perfidie, inouïe à la cour ?

NARCISSE

Et qui sait si l'ingrate en sa longue retraite
N'a point de l'empereur médité la défaite[1] ?
Trop sûre que ses yeux ne pouvaient se cacher
950 Peut-être elle fuyait pour se faire chercher,
Pour exciter Néron[2] par la gloire pénible
De vaincre une fierté jusqu'alors invincible.

BRITANNICUS

Je ne la puis donc voir ?

NARCISSE

Seigneur, en ce moment
Elle reçoit les vœux de son nouvel amant.

BRITANNICUS

955 Eh bien, Narcisse, allons. Mais que vois-je ? C'est elle.

NARCISSE

Ah dieux ! À l'empereur portons cette nouvelle.

1. Vocabulaire galant : la défaite (la soumission) amoureuse.
2. Var. *Pour exciter César* 1670-1675

SCÈNE VII

BRITANNICUS, JUNIE

JUNIE

Retirez-vous, Seigneur, et fuyez un courroux
Que ma persévérance allume contre vous.
Néron est irrité. Je me suis échappée
Tandis qu'à l'arrêter sa mère est occupée. 960
Adieu, réservez-vous, sans blesser mon amour,
Au plaisir de me voir justifier un jour
Votre image sans cesse est présente à mon âme.
Rien ne l'en peut bannir.

BRITANNICUS

Je vous entends, Madame,
Vous voulez que ma fuite assure vos désirs, 965
Que je laisse un champ libre à vos nouveaux soupirs.
Sans doute en me voyant, une pudeur secrète
Ne vous laisse goûter qu'une joie inquiète.
Eh bien, il faut partir.

JUNIE

Seigneur, sans m'imputer…

BRITANNICUS

Ah ! vous deviez du moins plus longtemps disputer. 970
Je ne murmure point qu'une amitié commune[1]

1. Un amour ordinaire.

Se range du parti que flatte la fortune,
Que l'éclat d'un empire ait pu vous éblouir,
Qu'aux dépens de ma sœur vous en vouliez jouir.
975 Mais que de ces grandeurs comme une autre occupée
Vous m'en ayez paru si longtemps détrompée ;
Non, je l'avoue encor, mon cœur désespéré
Contre ce seul malheur n'était point préparé.
J'ai vu sur ma ruine élever l'injustice[1].
980 De mes persécuteurs j'ai vu le ciel complice.
Tant d'horreurs n'avaient point épuisé son courroux,
Madame. Il me restait d'être oublié de vous.

JUNIE

Dans un temps plus heureux ma juste impatience
Vous ferait repentir de votre défiance.
985 Mais Néron vous menace. En ce pressant danger,
Seigneur, j'ai d'autres soins que de vous affliger.
Allez, rassurez-vous, et cessez de vous plaindre,
Néron nous écoutait, et m'ordonnait de feindre.

BRITANNICUS

Quoi le cruel ?...

JUNIE

Témoin de tout notre entretien
990 D'un visage sévère examinait le mien,

1. S'élever l'injustice : le pronom réfléchi pouvait être supprimé après certains verbes, comme *voir, penser, laisser* (voir aussi le v. 1540).

Prêt à faire sur vous éclater la vengeance
D'un geste confident de notre intelligence[1].

BRITANNICUS

Néron nous écoutait, Madame ! Mais hélas !
Vos yeux auraient pu feindre et ne m'abuser pas.
Ils pouvaient me nommer l'auteur de cet outrage. 995
L'amour est-il muet, ou n'a-t-il qu'un langage ?
De quel trouble un regard pouvait me préserver !
Il fallait...

JUNIE

Il fallait me taire, et vous sauver.
Combien de fois, hélas ! puisqu'il faut vous le dire,
Mon cœur de son désordre allait-il vous instruire ? 1000
De combien de soupirs interrompant le cours
Ai-je évité vos yeux que je cherchais toujours !
Quel tourment de se taire en voyant ce qu'on aime !
De l'entendre gémir, de l'affliger soi-même,
Lorsque par un regard on peut le consoler ! 1005
Mais quels pleurs ce regard aurait-il fait couler ?
Ah ! dans ce souvenir, inquiète, troublée,
Je ne me sentais pas assez dissimulée.
De mon front effrayé je craignais la pâleur.
Je trouvais mes regards trop pleins de ma douleur. 1010
Sans cesse il me semblait que Néron en colère
Me venait reprocher trop de soin de vous plaire.

1. La vengeance contre un geste qui aurait manifesté notre entente.

Je craignais mon amour vainement renfermé,
Enfin j'aurais voulu n'avoir jamais aimé.
1015 Hélas ! pour son bonheur, Seigneur, et pour le nôtre,
Il n'est que trop instruit de mon cœur et du vôtre.
Allez encore un coup, cachez-vous à ses yeux.
Mon cœur plus à loisir vous éclaircira mieux.
De mille autres secrets j'aurais compte à vous rendre.

BRITANNICUS

1020 Ah ! n'en voilà que trop. C'est trop me faire entendre[1],
Madame, mon bonheur, mon crime, vos bontés.
Et savez-vous pour moi tout ce que vous quittez ?
Quand pourrai-je à vos pieds expier ce reproche ?

JUNIE

Que faites-vous[2] ? Hélas ! votre rival s'approche.

SCÈNE VIII

NÉRON, BRITANNICUS, JUNIE

NÉRON

1025 Prince, continuez des transports si charmants.
Je conçois vos bontés par ses remerciements,

1. Var. *Ah ! n'en voilà que trop pour me faire comprendre* 1670

2. Tout en prononçant le vers précédent, Britannicus s'est jeté aux pieds de Junie : c'est ainsi que Néron va le trouver (v. 1025-1027).

Madame, à vos genoux je viens de le surprendre.
Mais il aurait aussi quelque grâce à me rendre,
Ce lieu le favorise, et je vous y retiens
Pour lui faciliter de si doux entretiens. 1030

BRITANNICUS

Je puis mettre à ses pieds ma douleur, ou ma joie,
Partout où sa bonté consent que je la voie.
Et l'aspect de ces lieux où vous la retenez,
N'a rien dont mes regards doivent être étonnés[1].

NÉRON

Et que vous montrent-ils qui ne vous avertisse 1035
Qu'il faut qu'on me respecte, et que l'on m'obéisse ?

BRITANNICUS

Ils ne nous ont pas vus l'un et l'autre élever,
Moi pour vous obéir, et vous pour me braver,
Et ne s'attendaient pas lorsqu'ils nous virent naître,
Qu'un jour Domitius me dût parler en maître. 1040

NÉRON

Ainsi par le destin nos vœux sont traversés[2],
J'obéissais alors et vous obéissez.

1. Si, dans les lieux où ils sont, les regards de Britannicus ne doivent pas être « étonnés » (c'est-à-dire *effrayés* ou, du moins, *intimidés*), c'est que le jeune homme considère qu'il est chez lui (voir les v. 1037-1040).

2. Traverser : se mettre en travers de, faire obstacle à. « Ainsi le destin se met en travers de nos vœux. »

Si vous n'avez appris à vous laisser conduire,
Vous êtes jeune encore et l'on peut vous instruire.

BRITANNICUS

1045 Et qui m'en instruira ?

NÉRON

Tout l'empire à la fois,
Rome.

BRITANNICUS

Rome met-elle au nombre de vos droits
Tout ce qu'a de cruel l'injustice et la force,
Les emprisonnements, le rapt et le divorce ?

NÉRON

Rome ne porte point ses regards curieux
1050 Jusque dans des secrets que je cache à ses yeux.
Imitez son respect.

BRITANNICUS

On sait ce qu'elle en pense[1].

1. Le duel verbal qui s'ouvre ici obéit à la forme de la *stichomythie* (série de répliques alternées d'un vers chacune), qui est depuis l'Antiquité un des passages obligés de toute bonne tragédie. On voit que, dans une situation d'affrontement, la force du code tragique passe avant la quête du naturel (même si Racine s'est efforcé d'assouplir la stichomythie en intégrant trois répliques de deux vers).

NÉRON

Elle se tait du moins, imitez son silence.

BRITANNICUS

Ainsi Néron commence à ne se plus forcer.

NÉRON

Néron de vos discours commence à se lasser.

BRITANNICUS

Chacun devait bénir le bonheur de son règne. 1055

NÉRON

Heureux ou malheureux, il suffit qu'on me craigne.

BRITANNICUS

Je connais mal Junie, ou de tels sentiments
Ne mériteront pas ses applaudissements.

NÉRON

Du moins si je ne sais le secret de lui plaire,
Je sais l'art de punir un rival téméraire. 1060

BRITANNICUS

Pour moi, quelque péril qui me puisse accabler,
Sa seule inimitié peut me faire trembler.

NÉRON

Souhaitez-la. C'est tout ce que je vous puis dire.

BRITANNICUS

Le bonheur de lui plaire est le seul où j'aspire.

NÉRON

1065 Elle vous l'a promis, vous lui plairez toujours.

BRITANNICUS

Je ne sais pas du moins épier ses discours.
Je la laisse expliquer sur tout ce qui me touche,
Et ne me cache point pour lui fermer la bouche.

NÉRON

Je vous entends. Eh bien, Gardes !

JUNIE

Que faites-vous ?
1070 C'est votre frère. Hélas ! C'est un amant jaloux,
Seigneur, mille malheurs persécutent sa vie.
Ah ! son bonheur peut-il exciter votre envie ?
Souffrez que de vos cœurs rapprochant les liens,
Je me cache à vos yeux, et me dérobe aux siens.
1075 Ma fuite arrêtera vos discordes fatales,
Seigneur, j'irai remplir le nombre des vestales.
Ne lui disputez plus mes vœux infortunés,
Souffrez que les dieux seuls en soient importunés.

NÉRON

L'entreprise, Madame, est étrange et soudaine.
Dans son appartement, Gardes, qu'on la remène[1]. 1080
Gardez Britannicus dans celui de sa sœur.

BRITANNICUS

C'est ainsi que Néron sait disputer un cœur.

JUNIE

Prince, sans l'irriter, cédons à cet orage.

NÉRON

Gardes, obéissez, sans tarder davantage.

SCÈNE IX

NÉRON, BURRHUS

BURRHUS

Que vois-je ? Ô Ciel[2] ! 1085

1. *Remener* et *ramener* sont distincts au XVIIe siècle : *remener* a le sens très précis et exclusif de *reconduire* (qui n'est que l'un des sens de ramener, où demeure l'idée d'amener vers soi).

2. Burrhus s'exclame ainsi parce qu'il entre en scène au moment précis où Britannicus et Junie en sortent entourés par des gardes.

NÉRON, *sans voir Burrhus.*

Ainsi leurs feux sont redoublés,
Je reconnais la main qui les a rassemblés.
Agrippine ne s'est présentée à ma vue,
Ne s'est dans ses discours si longtemps étendue,
Que pour faire jouer ce ressort odieux.
1090 Qu'on sache si ma mère est encore en ces lieux.
Burrhus, dans ce palais je veux qu'on la retienne,
Et qu'au lieu de sa garde, on lui donne la mienne.

BURRHUS

Quoi, Seigneur ? sans l'ouïr ? Une mère ?

NÉRON

Arrêtez.
J'ignore quel projet, Burrhus, vous méditez.
1095 Mais depuis quelques jours tout ce que je désire
Trouve en vous un censeur, prêt à me contredire.
Répondez-m'en, vous dis-je, ou sur votre refus
D'autres me répondront et d'elle, et de Burrhus.

ACTE IV

SCÈNE PREMIÈRE

AGRIPPINE, BURRHUS

BURRHUS

Oui Madame, à loisir vous pourrez vous défendre.
César lui-même ici consent de vous entendre. 1100
Si son ordre au palais vous a fait retenir,
C'est peut-être à dessein de vous entretenir.
Quoi qu'il en soit, si j'ose expliquer ma pensée,
Ne vous souvenez plus qu'il vous ait offensée.
Préparez-vous plutôt à lui tendre les bras. 1105
Défendez-vous, Madame, et ne l'accusez pas.
Vous voyez, c'est lui seul que la cour envisage[1].
Quoiqu'il soit votre fils, et même votre ouvrage,
Il est votre empereur. Vous êtes comme nous
Sujette à ce pouvoir qu'il a reçu de vous. 1110
Selon qu'il vous menace, ou bien qu'il vous caresse,

1. Var. *Vous le voyez, c'est lui que la cour envisage* 1670
C'est vers lui seul que la cour tourne ses regards, c'est à lui seul que la cour s'intéresse.

La cour autour de vous ou s'écarte, ou s'empresse.
C'est son appui qu'on cherche, en cherchant votre
[appui.
Mais voici l'empereur.

AGRIPPINE

Qu'on me laisse avec lui.

SCÈNE II

AGRIPPINE, NÉRON

AGRIPPINE *s'asseyant.*

1115 Approchez-vous, Néron, et prenez votre place.
On veut sur vos soupçons que je vous satisfasse.
J'ignore de quel crime on a pu me noircir.
De tous ceux que j'ai faits je vais vous éclaircir.
Vous régnez. Vous savez combien votre naissance
1120 Entre l'empire et vous avait mis de distance.
Les droits de mes aïeux que Rome a consacrés
Étaient même sans moi d'inutiles degrés.
Quand de Britannicus la mère condamnée
Laissa de Claudius disputer l'hyménée[1],

1. Sur la condamnation de Messaline (mère de Britannicus et d'Octavie), voir p. 94, n. 2. Trois femmes disputèrent l'hyménée de Claude devenu veuf, chacune soutenue par l'un de ses trois affranchis qui détenaient la réalité du pouvoir (voir le v. 1126) : Narcisse soutenait Aelia Paetina, Calliste, Lollia Paulina, et Pallas, Agrippine (voir le v. 1129).

Parmi tant de beautés qui briguèrent son choix, 1125
Qui de ses affranchis mendièrent les voix,
Je souhaitai son lit, dans la seule pensée
De vous laisser au trône, où je serais placée.
Je fléchis mon orgueil, j'allai prier Pallas.
Son maître chaque jour caressé dans mes bras 1130
Prit insensiblement dans les yeux de sa nièce
L'amour, où je voulais amener sa tendresse,
Mais ce lien du sang qui nous joignait tous deux,
Écartait Claudius d'un lit incestueux.
Il n'osait épouser la fille de son frère. 1135
Le sénat fut séduit[1]. Une loi moins sévère
Mit Claude dans mon lit et Rome à mes genoux.
C'était beaucoup pour moi, ce n'était rien pour vous.
Je vous fis sur mes pas entrer dans sa famille.
Je vous nommai son gendre, et vous donnai sa fille. 1140
Silanus, qui l'aimait, s'en vit abandonné,
Et marqua de son sang ce jour infortuné[2].
Ce n'était rien encore. Eussiez-vous pu prétendre
Qu'un jour Claude à son fils dût préférer son gendre ?
De ce même Pallas j'implorai le secours, 1145
Claude vous adopta, vaincu par ses discours,
Vous appela Néron, et du pouvoir suprême
Voulut avant le temps vous faire part lui-même.
C'est alors que chacun rappelant le passé
Découvrit mon dessein, déjà trop avancé ; 1150
Que de Britannicus la disgrâce future
Des amis de son père excita le murmure.

1. Le sénat se laissa corrompre.
2. Voir la note 2 de la p. 55.

Mes promesses aux uns éblouirent les yeux,
L'exil me délivra des plus séditieux.
1155 Claude même lassé de ma plainte éternelle
Éloigna de son fils tous ceux, de qui le zèle
Engagé dès longtemps à suivre son destin,
Pouvait du trône encor lui rouvrir le chemin.
Je fis plus : je choisis moi-même dans ma suite
1160 Ceux à qui je voulais qu'on livrât sa conduite.
J'eus soin de vous nommer, par un contraire choix,
Des gouverneurs que Rome honorait de sa voix.
Je fus sourde à la brigue, et crus la renommée.
J'appelai de l'exil, je tirai de l'armée,
1165 Et ce même Sénèque et ce même Burrhus,
Qui depuis... Rome alors estimait leurs vertus.
De Claude en même temps épuisant les richesses
Ma main, sous votre nom, répandait ses largesses.
Les spectacles, les dons, invincibles appas
1170 Vous attiraient les cœurs du peuple, et des soldats,
Qui d'ailleurs réveillant leur tendresse première
Favorisaient en vous Germanicus mon père.
Cependant Claudius penchait vers son déclin.
Ses yeux longtemps fermés s'ouvrirent à la fin.
1175 Il connut son erreur. Occupé de sa crainte
Il laissa pour son fils échapper quelque plainte,
Et voulut, mais trop tard, assembler ses amis.
Ses gardes, son palais, son lit m'étaient soumis.
Je lui laissai sans fruit consumer sa tendresse,
1180 De ses derniers soupirs je me rendis maîtresse,
Mes soins, en apparence, épargnant ses douleurs,
De son fils, en mourant, lui cachèrent les pleurs.

Il mourut. Mille bruits en courent à ma honte.
J'arrêtai de sa mort la nouvelle trop prompte :
Et tandis que Burrhus allait secrètement 1185
De l'armée en vos mains exiger le serment,
Que vous marchiez au camp, conduit sous mes auspices,
Dans Rome les autels fumaient de sacrifices,
Par mes ordres trompeurs tout le peuple excité
Du prince déjà mort demandait la santé. 1190
Enfin des légions l'entière obéissance
Ayant de votre empire affermi la puissance,
On vit Claude, et le peuple étonné de son sort
Apprit en même temps votre règne, et sa mort.
C'est le sincère aveu que je voulais vous faire. 1195
Voilà tous mes forfaits. En voici le salaire.
Du fruit de tant de soins à peine jouissant
En avez-vous six mois paru reconnaissant,
Que lassé d'un respect, qui vous gênait peut-être,
Vous avez affecté de ne me plus connaître. 1200
J'ai vu Burrhus, Sénèque, aigrissant vos soupçons
De l'infidélité vous tracer des leçons,
Ravis d'être vaincus dans leur propre science.
J'ai vu favoriser[1] de votre confiance
Othon, Sénécion[2] jeunes voluptueux, 1205

1. Toutes les éditions publiées du vivant de Racine présentent cet infinitif, au demeurant tout à fait régulier après un verbe de perception. Depuis Louis Racine qui y a vu une faute d'impression, de nombreux éditeurs lui ont substitué un participe passé.

2. Sénécion était le fils d'un affranchi de Claude. Quant à Othon, « voluptueux » qui finit par être éloigné par Néron pour pouvoir vivre avec sa femme Poppée, il fut le deuxième des trois empereurs qui succédèrent à Néron au cours de l'année qui sui-

Et de tous vos plaisirs flatteurs respectueux.
Et lorsque vos mépris excitant mes murmures,
Je vous ai demandé raison de tant d'injures,
(Seul recours d'un ingrat qui se voit confondu)
1210 Par de nouveaux affronts vous m'avez répondu.
Aujourd'hui je promets Junie à votre frère,
Ils se flattent tous deux du choix de votre mère,
Que faites-vous ? Junie enlevée à la cour[1]
Devient en une nuit l'objet de votre amour.
1215 Je vois de votre cœur Octavie effacée
Prête à sortir du lit, où je l'avais placée.
Je vois Pallas banni, votre frère arrêté,
Vous attentez enfin jusqu'à ma liberté,
Burrhus ose sur moi porter ses mains hardies.
1220 Et lorsque convaincu de tant de perfidies
Vous deviez ne me voir que pour les expier,
C'est vous, qui m'ordonnez de me justifier.

NÉRON

Je me souviens toujours que je vous dois l'empire.
Et sans vous fatiguer du soin de le redire,
1225 Votre bonté, Madame, avec tranquillité
Pouvait se reposer sur ma fidélité.
Aussi bien ces soupçons, ces plaintes assidues
Ont fait croire à tous ceux qui les ont entendues,
Que jadis (j'ose ici vous le dire entre nous)

---

vit son suicide (69 apr. J.-C.). Corneille en avait fait quelques années plus tôt le héros vertueux d'une tragédie (*Othon*, 1664 ; voir la préface, p. 28).

1. C'est-à-dire Junie enlevée *pour être amenée* à la cour.

Vous n'aviez, sous mon nom, travaillé que pour vous. 1230
Tant d'honneurs (disaient-ils) *et tant de déférences*
Sont-ce de ses bienfaits de faibles récompenses ?
Quel crime a donc commis ce fils tant condamné ?
Est-ce pour obéir qu'elle l'a couronné ?
N'est-il de son pouvoir que le dépositaire ? 1235
Non, que si jusque-là j'avais pu vous complaire,
Je n'eusse pris plaisir, Madame, à vous céder
Ce pouvoir que vos cris semblaient redemander :
Mais Rome veut un maître, et non une maîtresse.
Vous entendiez les bruits qu'excitait ma faiblesse. 1240
Le sénat chaque jour, et le peuple irrités
De s'ouïr par ma voix dicter vos volontés[1],
Publiaient qu'en mourant Claude avec sa puissance
M'avait encor laissé sa simple obéissance[2].
Vous avez vu cent fois nos soldats en courroux 1245
Porter en murmurant leurs aigles devant vous[3],
Honteux de rabaisser par cet indigne usage
Les héros, dont encore elles portent l'image.
Toute autre se serait rendue à leurs discours,
Mais si vous ne régnez, vous vous plaignez toujours. 1250
Avec Britannicus contre moi réunie
Vous le fortifiez du parti de Junie,

1. Var. *leurs volontés* 1670

2. Le faible Claude se laissa d'abord mener par ses affranchis, puis par Agrippine, qui partagea avec eux (particulièrement avec Pallas, son amant) la réalité du pouvoir.

3. Aigles, dans le sens de : emblèmes des légions romaines, est un nom féminin (ce qui explique *elles* deux vers plus bas). Elles étaient portées devant l'empereur par les soldats lorsqu'ils partaient en campagne. Nouveau rappel des hommages indus qu'exigeait Agrippine.

Et la main de Pallas trame tous ces complots.
Et lorsque malgré moi, j'assure mon repos,
1255 On vous voit de colère, et de haine animée.
Vous voulez présenter mon rival à l'armée.
Déjà jusques au camp le bruit en a couru.

AGRIPPINE

Moi le faire empereur, ingrat ? L'avez-vous cru ?
Quel serait mon dessein ? Qu'aurais-je pu prétendre ?
1260 Quels honneurs dans sa cour, quel rang pourrais-je
[attendre ?
Ah ! si sous votre empire on ne m'épargne pas,
Si mes accusateurs observent tous mes pas,
Si de leur empereur ils poursuivent la mère,
Que ferais-je au milieu d'une cour étrangère ?
1265 Ils me reprocheraient, non des cris impuissants,
Des desseins étouffés aussitôt que naissants,
Mais des crimes pour vous commis à votre vue ;
Et dont je ne serais que trop tôt convaincue.
Vous ne me trompez point, je vois tous vos détours,
1270 Vous êtes un ingrat, vous le fûtes toujours.
Dès vos plus jeunes ans mes soins et mes tendresses
N'ont arraché de vous que de feintes caresses.
Rien ne vous a pu vaincre, et votre dureté
Aurait dû dans son cours arrêter ma bonté.
1275 Que je suis malheureuse ! Et par quelle infortune
Faut-il que tous mes soins me rendent importune ?
Je n'ai qu'un fils. Ô ciel, qui m'entends aujourd'hui,
T'ai-je fait quelques vœux qui ne fussent pour lui ?
Remords, crainte, périls, rien ne m'a retenue.

J'ai vaincu ses mépris, j'ai détourné ma vue 1280
Des malheurs qui dès lors me furent annoncés.
J'ai fait ce que j'ai pu, vous régnez, c'est assez.
Avec ma liberté, que vous m'avez ravie,
Si vous le souhaitez prenez encor ma vie ;
Pourvu que par ma mort tout le peuple irrité 1285
Ne vous ravisse pas ce qui m'a tant coûté.

NÉRON

Eh bien donc, prononcez, que voulez-vous qu'on fasse ?

AGRIPPINE

De mes accusateurs qu'on punisse l'audace,
Que de Britannicus on calme le courroux,
Que Junie à son choix puisse prendre un époux, 1290
Qu'ils soient libres tous deux, et que Pallas demeure,
Que vous me permettiez de vous voir à toute heure,
Que ce même Burrhus, qui nous vient écouter[1],
À votre porte enfin n'ose plus m'arrêter.

NÉRON

Oui, Madame, je veux que ma reconnaissance 1295
Désormais dans les cœurs grave votre puissance,
Et je bénis déjà cette heureuse froideur
Qui de notre amitié va rallumer l'ardeur.
Quoi que Pallas ait fait, il suffit, je l'oublie,

1. Burrhus vient ici de faire son entrée en scène, mais comme il demeure silencieux, à l'écart, le changement de scène n'aura lieu qu'à la sortie d'Agrippine. Dans la première édition (1670), une didascalie signalait ici : *Burrhus rentre.*

1300 Avec Britannicus je me réconcilie,
Et quant à cet amour qui nous a séparés,
Je vous fais notre arbitre, et vous nous jugerez.
Allez donc, et portez cette joie à mon frère.
Gardes, qu'on obéisse aux ordres de ma mère.

SCÈNE III

NÉRON, BURRHUS

BURRHUS

1305 Que cette paix, Seigneur, et ces embrassements
Vont offrir à mes yeux des spectacles charmants !
Vous savez si jamais ma voix lui fut contraire,
Si de son amitié j'ai voulu vous distraire,
Et si j'ai mérité cet injuste courroux.

NÉRON

1310 Je ne vous flatte point, je me plaignais de vous,
Burrhus, je vous ai crus tous deux d'intelligence.
Mais son inimitié vous rend ma confiance,
Elle se hâte trop, Burrhus, de triompher.
J'embrasse mon rival, mais c'est pour l'étouffer.

BURRHUS

1315 Quoi, Seigneur ?

NÉRON

C'en est trop. Il faut que sa ruine
Me délivre à jamais des fureurs d'Agrippine.
Tant qu'il respirera je ne vis qu'à demi.
Elle m'a fatigué de ce nom ennemi,
Et je ne prétends pas que sa coupable audace
Une seconde fois lui promette ma place. 1320

BURRHUS

Elle va donc bientôt pleurer Britannicus.

NÉRON

Avant la fin du jour je ne le craindrai plus.

BURRHUS

Et qui de ce dessein vous inspire l'envie ?

NÉRON

Ma gloire, mon amour, ma sûreté, ma vie.

BURRHUS

Non, quoi que vous disiez, cet horrible dessein 1325
Ne fut jamais, Seigneur, conçu dans votre sein.

NÉRON

Burrhus !

BURRHUS

De votre bouche, ô ciel ! puis-je l'apprendre ?
Vous-même sans frémir avez-vous pu l'entendre ?
Songez-vous dans quel sang vous allez vous baigner ?
1330 Néron dans tous les cœurs est-il las de régner ?
Que dira-t-on de vous ? Quelle est votre pensée ?

NÉRON

Quoi ? toujours enchaîné de ma gloire passée
J'aurai devant les yeux je ne sais quel amour,
Que le hasard nous donne et nous ôte en un jour ?
1335 Soumis à tous leurs vœux, à mes désirs contraire
Suis-je leur empereur seulement pour leur plaire ?

BURRHUS

Et ne suffit-il pas, Seigneur, à vos souhaits
Que le bonheur public soit un de vos bienfaits ?
C'est à vous à choisir, vous êtes encor maître.
1340 Vertueux jusqu'ici vous pouvez toujours l'être.
Le chemin est tracé, rien ne vous retient plus.
Vous n'avez qu'à marcher de vertus en vertus.
Mais si de vos flatteurs vous suivez la maxime,
Il vous faudra, Seigneur, courir de crime en crime,
1345 Soutenir vos rigueurs, par d'autres cruautés,
Et laver dans le sang vos bras ensanglantés.
Britannicus mourant excitera le zèle
De ses amis tout prêts à prendre sa querelle.
Ces vengeurs trouveront de nouveaux défenseurs,
1350 Qui même après leur mort auront des successeurs.

Vous allumez un feu qui ne pourra s'éteindre.
Craint de tout l'univers il vous faudra tout craindre,
Toujours punir, toujours trembler dans vos projets,
Et pour vos ennemis compter tous vos sujets[1].
Ah ! de vos premiers ans l'heureuse expérience 1355
Vous fait-elle, Seigneur, haïr votre innocence ?
Songez-vous au bonheur qui les a signalés[2] ?
Dans quel repos, ô ciel ! les avez-vous coulés ?
Quel plaisir de penser et de dire en vous-même,
Partout, en ce moment, on me bénit, on m'aime. 1360
On ne voit point le peuple à mon nom s'alarmer,
Le ciel dans tous leurs pleurs ne m'entend point [nommer.
Leur sombre inimitié ne fuit point mon visage,
Je vois voler partout les cœurs à mon passage !
Tels étaient vos plaisirs. Quel changement, ô dieux ! 1365
Le sang le plus abject vous était précieux.
Un jour, il m'en souvient, le sénat équitable
Vous pressait de souscrire à la mort d'un coupable,
Vous résistiez, Seigneur, à leur sévérité,
Votre cœur s'accusait de trop de cruauté, 1370
Et plaignant les malheurs attachés à l'empire,
Je voudrais, disiez-vous, *ne savoir pas écrire.*
Non, ou vous me croirez, ou bien de ce malheur
Ma mort m'épargnera la vue et la douleur.

1. Les v. 1349-1354 sont inspirés du *De Clementia* de Sénèque ; ils évoquent en même temps certains passages de *Cinna* de Corneille (IV, 2 et 3), modèle au XVIIe siècle de la tragédie romaine.
2. Signalés : rendus dignes de mémoire.

1375 On ne me verra point survivre à votre gloire.
Si vous allez commettre une action si noire,
(Il se jette à genoux.)
Me voilà prêt, Seigneur, avant que de partir,
Faites percer ce cœur qui n'y peut consentir.
Appelez les cruels qui vous l'ont inspirée,
1380 Qu'ils viennent essayer leur main mal assurée.
Mais je vois que mes pleurs touchent mon empereur,
Je vois que sa vertu frémit de leur fureur.
Ne perdez point de temps, nommez-moi les perfides
Qui vous osent donner ces conseils parricides[1].
1385 Appelez votre frère, oubliez dans ses bras...

NÉRON

Ah ! que demandez-vous ?

BURRHUS

Non, il ne vous hait pas,
Seigneur, on le trahit, je sais son innocence,
Je vous réponds pour lui de son obéissance.
J'y cours. Je vais presser un entretien si doux.

NÉRON

1390 Dans mon appartement qu'il m'attende avec vous.

1. Parricide (voir aussi le v. 1431) désignait au XVIIe siècle tout meurtre d'un membre de la même famille : Néron, adopté par Claude, est considéré comme le frère de Britannicus.

SCÈNE IV

NÉRON, NARCISSE

NARCISSE

Seigneur, j'ai tout prévu pour une mort si juste.
Le poison est tout prêt. La fameuse Locuste[1]
A redoublé pour moi ses soins officieux.
Elle a fait expirer un esclave à mes yeux ;
Et le fer est moins prompt pour trancher une vie 1395
Que le nouveau poison que sa main me confie.

NÉRON

Narcisse, c'est assez, je reconnais ce soin,
Et ne souhaite pas que vous alliez plus loin.

NARCISSE

Quoi ! pour Britannicus votre haine affaiblie
Me défend… 1400

NÉRON

Oui, Narcisse, on nous réconcilie.

1. Locuste avait déjà préparé le poison dont mourut Claude (*Annales*, XII, 66). Elle était alors emprisonnée. Selon Suétone (*Vies des douze Césars*, « Néron », XXXIII), c'est sur un bouc et un pourceau que furent faits les essais du poison dont mourut Britannicus (et non sur un esclave, comme le dit Racine au v. 1394).

NARCISSE

Je me garderai bien de vous en détourner,
Seigneur. Mais il s'est vu tantôt emprisonner.
Cette offense en son cœur sera longtemps nouvelle[1].
Il n'est point de secrets que le temps ne révèle.
1405 Il saura que ma main lui devait présenter
Un poison que votre ordre avait fait apprêter.
Les dieux de ce dessein puissent-ils le distraire !
Mais peut-être il fera ce que vous n'osez faire.

NÉRON

On répond de son cœur, et je vaincrai le mien.

NARCISSE

1410 Et l'hymen de Junie en est-il le lien ?
Seigneur, lui faites-vous encor ce sacrifice ?

NÉRON

C'est prendre trop de soin. Quoi qu'il en soit, Narcisse,
Je ne le compte plus parmi mes ennemis.

NARCISSE

Agrippine, Seigneur, se l'était bien promis.
1415 Elle a repris sur vous son souverain empire.

NÉRON

Quoi donc ? Qu'a-t-elle dit ? Et que voulez-vous dire ?

1. Restera longtemps vive, ne s'oubliera pas.

NARCISSE

Elle s'en est vantée assez publiquement.

NÉRON

De quoi ?

NARCISSE

Qu'elle n'avait qu'à vous voir un moment :
Qu'à tout ce grand éclat, à ce courroux funeste
On verrait succéder un silence modeste, 1420
Que vous-même à la paix souscririez le premier,
Heureux que sa bonté daignât tout oublier.

NÉRON

Mais, Narcisse, dis-moi, que veux-tu que je fasse ?
Je n'ai que trop de pente à punir son audace.
Et si je m'en croyais ce triomphe indiscret 1425
Serait bientôt suivi d'un éternel regret.
Mais de tout l'univers quel sera le langage ?
Sur les pas des tyrans veux-tu que je m'engage,
Et que Rome effaçant tant de titres d'honneur
Me laisse pour tous noms celui d'empoisonneur ? 1430
Ils mettront ma vengeance au rang des parricides. → égoïste

NARCISSE

Et prenez-vous, Seigneur, leurs caprices pour guides ?
Avez-vous prétendu qu'ils se tairaient toujours ?
Est-ce à vous de prêter l'oreille à leurs discours ?
De vos propres désirs perdrez-vous la mémoire ? 1435

Et serez-vous le seul que vous n'oserez croire ?
Mais, Seigneur, les Romains ne vous sont pas connus.
Non non, dans leurs discours ils sont plus retenus.
Tant de précaution affaiblit votre règne.
1440 Ils croiront en effet mériter qu'on les craigne.
Au joug depuis longtemps ils se sont façonnés.
Ils adorent la main qui les tient enchaînés.
Vous les verrez toujours ardents à vous complaire.
Leur prompte servitude a fatigué Tibère[1].
1445 Moi-même revêtu d'un pouvoir emprunté,
Que je reçus de Claude avec la liberté[2],
J'ai cent fois dans le cours de ma gloire passée
Tenté leur patience, et ne l'ai point lassée.
D'un empoisonnement vous craignez la noirceur ?
1450 Faites périr le frère, abandonnez la sœur.
Rome sur ses autels[3] prodiguant les victimes,
Fussent-ils innocents, leur trouvera des crimes.
Vous verrez mettre au rang des jours infortunés
Ceux où jadis la sœur et le frère sont nés.

NÉRON

1455 Narcisse, encore un coup, je ne puis l'entreprendre.
J'ai promis à Burrhus, il a fallu me rendre.
Je ne veux point encore en lui manquant de foi
Donner à sa vertu des armes contre moi.

1. Tibère avait fini par prendre la cour en horreur (mais il craignait aussi des complots), et s'était retiré dans l'île de Capri, d'où il dirigeait l'empire.
2. Rappelons que Narcisse était un ancien esclave affranchi.
3. Var. *sur les autels* 1670-1675

J'oppose à ses raisons un courage inutile,
Je ne l'écoute point avec un cœur tranquille. 1460

NARCISSE

Burrhus ne pense pas, Seigneur, tout ce qu'il dit.
Son adroite vertu ménage son crédit.
Ou plutôt ils n'ont tous qu'une même pensée :
Ils verraient par ce coup leur puissance abaissée :
Vous seriez libre alors, Seigneur, et devant vous 1465
Ces maîtres orgueilleux fléchiraient comme nous.
Quoi donc ! ignorez-vous tout ce qu'ils osent dire ?
Néron, s'ils en sont crus, *n'est point né pour l'empire.*
Il ne dit, il ne fait, que ce qu'on lui prescrit.
Burrhus conduit son cœur, Sénèque son esprit. 1470
Pour toute ambition, pour vertu singulière,
Il excelle à conduire un char dans la carrière,
À disputer des prix indignes de ses mains,
À se donner lui-même en spectacle aux Romains,
À venir prodiguer sa voix sur un théâtre, 1475
À réciter des chants qu'il veut qu'on idolâtre,
Tandis que des soldats de moments en moments
Vont arracher pour lui les applaudissements[1].
Ah ! ne voulez-vous pas les forcer à se taire ?

NÉRON

Viens, Narcisse. Allons voir ce que nous devons faire. 1480

1. Dans le chapitre « Néron » de ses *Vies des douze Césars*, Suétone a consacré de longues pages à décrire les prétentions et les exploits physiques, vocaux et artistiques de Néron. Il prétend même qu'il fit périr Britannicus autant pour des raisons politiques que « par jalousie à l'égard de sa voix qui était plus forte et plus agréable que la sienne » (XXXIII).

ACTE V

SCÈNE PREMIÈRE

BRITANNICUS, JUNIE

BRITANNICUS

Oui, Madame, Néron (qui l'aurait pu penser ?)
Dans son appartement m'attend pour m'embrasser.
Il y fait de sa cour inviter la jeunesse.
Il veut que d'un festin la pompe et l'allégresse
1485 Confirment à leurs yeux la foi de nos serments,
Et réchauffent l'ardeur de nos embrassements.
Il éteint cet amour source de tant de haine,
Il vous fait de mon sort arbitre souveraine.
Pour moi, quoique banni du rang de mes aïeux,
1490 Quoique de leur dépouille il se pare à mes yeux,
Depuis qu'à mon amour cessant d'être contraire,
Il semble me céder la gloire de vous plaire ;
Mon cœur, je l'avouerai, lui pardonne en secret,
Et lui laisse le reste avec moins de regret.
1495 Quoi ! je ne serai plus séparé de vos charmes ?
Quoi ! même en ce moment je puis voir sans alarmes

Ces yeux que n'ont émus ni soupirs, ni terreur,
Qui m'ont sacrifié l'empire et l'empereur ?
Ah Madame ! Mais quoi ? Quelle nouvelle crainte
Tient parmi mes transports votre joie en contrainte ? 1500
D'où vient qu'en m'écoutant, vos yeux, vos tristes yeux
Avec de longs regards se tournent vers les cieux ?
Qu'est-ce que vous craignez ?

JUNIE

Je l'ignore moi-même.

Mais je crains.

BRITANNICUS

Vous m'aimez ?

JUNIE

Hélas, si je vous aime ?

BRITANNICUS

Néron ne trouble plus notre félicité. 1505

JUNIE

Mais me répondez-vous de sa sincérité ?

BRITANNICUS

Quoi ? vous le soupçonnez d'une haine couverte ?

JUNIE

Néron m'aimait tantôt, il jurait votre perte.
Il me fuit, il vous cherche. Un si grand changement
Peut-il être, Seigneur, l'ouvrage d'un moment ? 1510

BRITANNICUS

Cet ouvrage, Madame, est un coup d'Agrippine.
Elle a cru que ma perte entraînait sa ruine.
Grâce aux préventions de son esprit jaloux,
Nos plus grands ennemis ont combattu pour nous.
1515 Je m'en fie aux transports qu'elle m'a fait paraître.
Je m'en fie à Burrhus. J'en crois même son maître.
Je crois, qu'à mon exemple impuissant à trahir
Il hait à cœur ouvert, ou cesse de haïr.

JUNIE

Seigneur, ne jugez pas de son cœur par le vôtre.
1520 Sur des pas différents vous marchez l'un et l'autre.
Je ne connais Néron et la cour que d'un jour.
Mais (si je l'ose dire) hélas ! dans cette cour,
Combien tout ce qu'on dit est loin de ce qu'on pense !
Que la bouche et le cœur sont peu d'intelligence !
1525 Avec combien de joie on y trahit sa foi !
Quel séjour étranger et pour vous et pour moi !

BRITANNICUS

Mais que son amitié soit véritable ou feinte,
Si vous craignez Néron, lui-même est-il sans crainte ?
Non non, il n'ira point par un lâche attentat
1530 Soulever contre lui le peuple et le sénat
Que dis-je ? Il reconnaît sa dernière injustice.
Ses remords ont paru, même aux yeux de Narcisse.
Ah ! s'il vous avait dit, ma Princesse, à quel point…

JUNIE

Mais Narcisse, Seigneur, ne vous trahit-il point ?

BRITANNICUS

Et pourquoi voulez-vous que mon cœur s'en défie[1] ? 1535

JUNIE

Et que sais-je ? Il y va, Seigneur, de votre vie.
Tout m'est suspect. Je crains que tout ne soit séduit.
Je crains Néron. Je crains le malheur qui me suit.
D'un noir pressentiment malgré moi prévenue,
Je vous laisse à regret éloigner de ma vue[2]. 1540
Hélas ! si cette paix, dont vous vous repaissez,
Couvrait contre vos jours quelques pièges dressés !
Si Néron irrité de notre intelligence
Avait choisi la nuit pour cacher sa vengeance !
S'il préparait ses coups tandis que je vous vois ! 1545

1. Var. Avant ce vers, l'édition de 1670 comprenait les huit vers suivants :

Lui me trahir ? Hé quoi vous voulez donc, Madame,
Qu'à d'éternels soupçons j'abandonne mon âme ?
Seul de tous mes amis Narcisse m'est resté.
L'a-t-on vu de mon père oublier la bonté ?
S'est-il rendu, Madame, indigne de la mienne ?
Néron de temps en temps souffre qu'il l'entretienne,
Je le sais. Mais il peut, sans violer sa foi,
Tenir lieu d'interprète entre Néron et moi.
Et pourquoi voulez-vous..

1670

2. Voir la note de la page 110.

Et si je vous parlais pour la dernière fois !
Ah Prince !

BRITANNICUS

Vous pleurez ! Ah ma chère Princesse !
Et pour moi jusque-là votre cœur s'intéresse ?
Quoi Madame ! en un jour, où plein de sa grandeur
1550 Néron croit éblouir vos yeux de sa splendeur,
Dans des lieux où chacun me fuit et le révère,
Aux pompes de sa cour préférer ma misère ?
Quoi ! dans ce même jour, et dans ces mêmes lieux
Refuser un empire et pleurer à mes yeux !
1555 Mais, Madame, arrêtez ces précieuses larmes ;
Mon retour va bientôt dissiper vos alarmes.
Je me rendrais suspect par un plus long séjour.
Adieu, je vais le cœur tout plein de mon amour,
Au milieu des transports d'une aveugle jeunesse,
1560 Ne voir, n'entretenir que ma belle princesse[1].
Adieu.

JUNIE

Prince…

BRITANNICUS

On m'attend, Madame, il faut partir.

1. Britannicus se rend à la fête donnée par Néron sans avoir l'intention de s'amuser avec les autres convives (v. 1559 ; pour la « jeunesse », voir le v. 1483) parce qu'il ne peut détacher son esprit de l'image de sa « belle princesse ».

JUNIE

Mais du moins attendez qu'on vous vienne avertir.

SCÈNE II

AGRIPPINE, BRITANNICUS, JUNIE

AGRIPPINE

Prince, que tardez-vous ? Partez en diligence[1].
Néron impatient se plaint de votre absence.
La joie et le plaisir de tous les conviés 1565
Attend pour éclater que vous vous embrassiez.
Ne faites point languir une si juste envie,
Allez. Et nous, Madame, allons chez Octavie.

BRITANNICUS

Allez, belle Junie, et d'un esprit content
Hâtez-vous d'embrasser ma sœur qui vous attend. 1570
Dès que je le pourrai je reviens sur vos traces,
Madame, et de vos soins j'irai vous rendre grâces.

1. En diligence : avec hâte, rapidement.

SCÈNE III

AGRIPPINE, JUNIE

AGRIPPINE

Madame, ou je me trompe, ou durant vos adieux
Quelques pleurs répandus ont obscurci vos yeux.
1575 Puis-je savoir quel trouble a formé ce nuage ?
Doutez-vous d'une paix dont je fais mon ouvrage ?

JUNIE

Après tous les ennuis que ce jour m'a coûtés,
Ai-je pu rassurer mes esprits agités ?
Hélas ! à peine encor je conçois ce miracle.
1580 Quand même à vos bontés je craindrais quelque
[obstacle,
Le changement, Madame, est commun à la cour,
Et toujours quelque crainte accompagne l'amour.

AGRIPPINE

Il suffit, j'ai parlé, tout a changé de face.
Mes soins à vos soupçons ne laissent point de place.
1585 Je réponds d'une paix jurée entre mes mains,
Néron m'en a donné des gages trop certains.
Ah ! si vous aviez vu par combien de caresses
Il m'a renouvelé la foi de ses promesses !
Par quels embrassements il vient de m'arrêter !
1590 Ses bras dans nos adieux ne pouvaient me quitter.

Sa facile bonté sur son front répandue
Jusqu'aux moindres secrets est d'abord descendue.
Il s'épanchait en fils, qui vient en liberté
Dans le sein de sa mère oublier sa fierté.
Mais bientôt reprenant un visage sévère, 1595
Tel que d'un empereur qui consulte sa mère,
Sa confidence auguste a mis entre mes mains
Des secrets d'où dépend le destin des humains.
Non, il le faut ici confesser à sa gloire.
Son cœur n'enferme point une malice noire, 1600
Et nos seuls ennemis altérant sa bonté
Abusaient contre nous de sa facilité[1].
Mais enfin à son tour leur puissance décline.
Rome encore une fois va connaître Agrippine.
Déjà, de ma faveur on adore le bruit[2]. 1605
Cependant en ces lieux n'attendons pas la nuit,
Passons chez Octavie, et donnons-lui le reste
D'un jour autant heureux que je l'ai cru funeste.
Mais qu'est-ce que j'entends ? Quel tumulte confus ?
Que peut-on faire ? 1610

JUNIE

Ô ciel ! sauvez Britannicus !

1. Facilité : tempérament facile (cf. plus haut, v. 1591 : « sa facile bonté »).

2. On se réjouit de la nouvelle de mon retour en faveur auprès de Néron.

SCÈNE IV

AGRIPPINE, JUNIE, BURRHUS

AGRIPPINE

Burrhus, où courez-vous ? Arrêtez. Que veut dire…

BURRHUS

Madame, c'en est fait, Britannicus expire.

JUNIE

Ah ! mon Prince !

AGRIPPINE

Il expire ?

BURRHUS

Ou plutôt il est mort,

Madame.

JUNIE

Pardonnez, Madame, à ce transport[1].

1615 Je vais le secourir, si je puis, ou le suivre.

1. Transport : vive émotion, mouvement d'égarement.

SCÈNE V

AGRIPPINE, BURRHUS

AGRIPPINE

Quel attentat, Burrhus !

BURRHUS

Je n'y pourrai survivre,
Madame, il faut quitter la cour et l'empereur.

AGRIPPINE

Quoi ! du sang de son frère il n'a point eu d'horreur ?

BURRHUS

Ce dessein s'est conduit avec plus de mystère.
À peine l'empereur a vu venir son frère, 1620
Il se lève, il l'embrasse, on se tait, et soudain
César prend le premier une coupe à la main.
Pour achever ce jour sous de meilleurs auspices,
Ma main de cette coupe épanche les prémices[1],
Dit-il, *dieux, que j'appelle à cette effusion,* 1625
Venez favoriser notre réunion.
Par les mêmes serments Britannicus se lie.
La coupe dans ses mains par Narcisse est remplie.
Mais ses lèvres à peine en ont touché les bords,

1. Formule rituelle lors d'une libation : on offrait aux dieux quelques gouttes du liquide qu'on s'apprêtait à boire.

1630 Le fer ne produit point de si puissants efforts[1],
Madame, la lumière à ses yeux est ravie,
Il tombe sur son lit sans chaleur et sans vie.
Jugez combien ce coup frappe tous les esprits.
La moitié s'épouvante et sort avec des cris.
1635 Mais ceux qui de la cour ont un plus long usage
Sur les yeux de César composent leur visage.
Cependant sur son lit il demeure penché,
D'aucun étonnement il ne paraît touché.
Ce mal dont vous craignez, dit-il, *la violence*
1640 *A souvent sans péril attaqué son enfance*[2].
Narcisse veut en vain affecter quelque ennui,
Et sa perfide joie éclate malgré lui.
Pour moi, dût l'empereur punir ma hardiesse,
D'une odieuse cour j'ai traversé la presse,
1645 Et j'allais accablé de cet assassinat
Pleurer Britannicus, César et tout l'État.

AGRIPPINE

Le voici. Vous verrez si c'est moi qui l'inspire[3].

1. Un coup d'épée (ou de couteau, etc.) n'a pas d'effets aussi violents et rapides.

2. Britannicus avait été effectivement sujet à des crises d'épilepsie.

3. Var. *Le voici. Vous verrez si je suis sa complice*
Demeurez. 1670

SCÈNE VI[1]

AGRIPPINE, NÉRON, BURRHUS, NARCISSE

NÉRON, *voyant Agrippine.*

Dieux !

AGRIPPINE

Arrêtez, Néron. J'ai deux mots à vous dire.
Britannicus est mort, je reconnais les coups.
Je connais l'assassin. 1650

NÉRON

Et qui, Madame ?

AGRIPPINE

Vous.

NÉRON

Moi ! Voilà les soupçons dont vous êtes capable.
Il n'est point de malheur dont je ne sois coupable.
Et si l'on veut, Madame, écouter vos discours,
Ma main de Claude même aura tranché les jours.

1. Var. Dans l'édition de 1670, cette scène était la Scène VII. Ici s'intercalait une scène (numérotée Scène VI), que Racine avait justifiée contre les critiques (voir la préface de 1670, et la notice p. 177) avant de la supprimer pour la seconde édition (1675). Nous la reproduisons p. 177.

1655 Son fils vous était cher, sa mort peut vous confondre[1].
Mais des coups du destin je ne puis pas répondre.

AGRIPPINE

Non, non, Britannicus est mort empoisonné.
Narcisse a fait le coup, vous l'avez ordonné.

NÉRON

Madame, mais qui peut vous tenir ce langage ?

NARCISSE

1660 Hé Seigneur ! ce soupçon vous fait-il tant d'outrage ?
Britannicus, Madame, eut des desseins secrets
Qui vous auraient coûté de plus justes regrets.
Il aspirait plus loin qu'à l'hymen de Junie.
De vos propres bontés il vous aurait punie.
1665 Il vous trompait vous-même et son cœur offensé[2],
Prétendait tôt ou tard rappeler le passé.
Soit donc que malgré vous le sort vous ait servie ;
Soit qu'instruit des complots qui menaçaient sa vie,
Sur ma fidélité César s'en soit remis,
1670 Laissez les pleurs, Madame, à vos seuls ennemis.
Qu'ils mettent ce malheur au rang des plus sinistres.
Mais vous…

AGRIPPINE

Poursuis, Néron, avec de tels ministres.
Par des faits glorieux tu te vas signaler.

1. Confondre : plonger dans la confusion (voir déjà au v. 762).
2 Var. *Madame, il vous trompait,* 1670-1675

Poursuis. Tu n'as pas fait ce pas pour reculer.
Ta main a commencé par le sang de ton frère. 1675
Je prévois que tes coups viendront jusqu'à ta mère.
Dans le fond de ton cœur, je sais que tu me hais[1].
Tu voudras t'affranchir du joug de mes bienfaits.
Mais je veux que ma mort te soit même inutile :
Ne crois pas qu'en mourant je te laisse tranquille. 1680
Rome, ce ciel, ce jour, que tu reçus de moi,
Partout, à tout moment, m'offriront devant toi.
Tes remords te suivront comme autant de furies[2].
Tu croiras les calmer par d'autres barbaries.
Ta fureur s'irritant soi-même dans son cours 1685
D'un sang toujours nouveau marquera tous tes jours.
Mais j'espère qu'enfin le ciel las de tes crimes
Ajoutera ta perte à tant d'autres victimes,
Qu'après t'être couvert de leur sang et du mien,
Tu te verras forcé de répandre le tien ; 1690
Et ton nom paraîtra, dans la race future
Aux plus cruels tyrans une cruelle injure.
Voilà ce que mon cœur se présage de toi.
Adieu, tu peux sortir.

NÉRON

Narcisse, suivez-moi.

1. Var. *Tu te fatigueras d'entendre tes forfaits* 1670-1675
2. Cette prophétie d'Agrippine est directement inspirée de Suétone : « Il ne put jamais surmonter le remords de son crime, ni sur-le-champ, ni jamais par la suite [...] ; il avoua souvent qu'il était poursuivi par le fantôme de sa mère, par les fouets des Furies et leurs torches ardentes » (*Vies des douze Césars*, « Néron », XXXIV).

SCÈNE VII[1]

AGRIPPINE, BURRHUS

AGRIPPINE

1695 Ah ciel ! de mes soupçons quelle était l'injustice.
Je condamnais Burrhus, pour écouter Narcisse !
Burrhus avez-vous vu quels regards furieux
Néron en me quittant m'a laissés pour adieux ?
C'en est fait. Le cruel n'a plus rien qui l'arrête :
1700 Le coup qu'on m'a prédit va tomber sur ma tête.
Il vous accablera vous-même à votre tour.

BURRHUS

Ah Madame ! pour moi j'ai vécu trop d'un jour,
Plût au ciel, que sa main heureusement cruelle
Eût fait sur moi l'essai de sa fureur nouvelle !
1705 Qu'il ne m'eût pas donné par ce triste attentat
Un gage trop certain des malheurs de l'État !
Son crime seul n'est pas ce qui me désespère ;
Sa jalousie a pu l'armer contre son frère.
Mais s'il vous faut, Madame, expliquer ma douleur,
1710 Néron l'a vu mourir, sans changer de couleur.
Ses yeux indifférents ont déjà la constance
D'un tyran dans le crime endurci dès l'enfance.
Qu'il achève, Madame ; et qu'il fasse périr

1. Scène VIII en 1670.

Un ministre importun qui ne le peut souffrir.
Hélas ! Loin de vouloir éviter sa colère 1715
La plus soudaine mort me sera la plus chère.

SCÈNE DERNIÈRE

AGRIPPINE, BURRHUS, ALBINE

ALBINE

Ah Madame ! ah Seigneur ! Courez vers l'empereur.
Venez sauver César de sa propre fureur.
Il se voit pour jamais séparé de Junie.

AGRIPPINE

Quoi Junie elle-même a terminé sa vie ? 1720

ALBINE

Pour accabler César d'un éternel ennui,
Madame, sans mourir elle est morte pour lui.
Vous savez de ces lieux comme elle s'est ravie.
Elle a feint de passer chez la triste Octavie.
Mais bientôt elle a pris des chemins écartés, 1725
Où mes yeux ont suivi ses pas précipités.
Des portes du palais elle sort éperdue.
D'abord elle a d'Auguste aperçu la statue ;
Et mouillant de ses pleurs le marbre de ses pieds
Que de ses bras pressants elle tenait liés : 1730
Prince, par ces genoux, dit-elle, *que j'embrasse :*

Protège en ce moment le reste de ta race.
Rome dans ton palais vient de voir immoler
Le seul de tes neveux, qui te pût ressembler,
1735 *On veut après sa mort que je lui sois parjure.*
Mais pour lui conserver une foi toujours pure,
Prince, je me dévoue à ces dieux immortels,
Dont ta vertu t'a fait partager les autels.
Le peuple cependant que ce spectacle étonne,
1740 Vole de toutes parts, se presse, l'environne,
S'attendrit à ses pleurs, et plaignant son ennui
D'une commune voix la prend sous son appui.
Ils la mènent au temple, où depuis tant d'années
Au culte des autels nos vierges destinées
1745 Gardent fidèlement le dépôt précieux
Du feu toujours ardent qui brûle pour nos dieux.
César les voit partir sans oser les distraire.
Narcisse plus hardi s'empresse pour lui plaire.
Il vole vers Junie, et sans s'épouvanter
1750 D'une profane main commence à l'arrêter.
De mille coups mortels son audace est punie.
Son infidèle sang rejaillit sur Junie[1].
César de tant d'objets en même temps frappé[2]
Le laisse entre les mains qui l'ont enveloppé.
1755 Il rentre. Chacun fuit son silence farouche.
Le seul nom de Junie échappe de sa bouche.
Il marche sans dessein, ses yeux mal assurés

1. Les circonstances de la mort de Narcisse sont entièrement de l'invention de Racine : il avait été contraint de se suicider dès l'avènement de Néron (voir la notice, p. 183).
2. L'esprit frappé par tant d'événements imprévus.

N'osent lever au ciel leurs regards égarés.
Et l'on craint, si la nuit jointe à la solitude
Vient de son désespoir aigrir l'inquiétude, 1760
Si vous l'abandonnez plus longtemps sans secours,
Que sa douleur bientôt n'attente sur ses jours.
Le temps presse. Courez. Il ne faut qu'un caprice.
Il se perdrait[1], Madame.

AGRIPPINE

Il se ferait justice.
Mais, Burrhus, allons voir jusqu'où vont ses transports. 1765
Voyons quel changement produiront ses remords,
S'il voudra désormais suivre d'autres maximes.

BURRHUS

Plût aux dieux que ce fût le dernier de ses crimes !

1. Se perdre : se donner la mort.

DOSSIER

CHRONOLOGIE

1639-1699

1638. 13 septembre : Jean Racine (le père), « procureur » à La Ferté-Milon (Aisne) et fils de Jean Racine, contrôleur au grenier à sel de La Ferté-Milon, épouse Jeanne Sconin, fille de Pierre Sconin, président du grenier à sel.

1639. 22 décembre : Racine est baptisé à La Ferté-Milon ; il a pour marraine sa grand-mère paternelle, Marie Desmoulins (épouse de Jean Racine), et pour parrain son grand-père maternel, Pierre Sconin.

1641. 24 janvier : baptême de Marie Racine, sœur de Jean. Leur mère meurt des suites de l'accouchement : elle est inhumée le 29 janvier.

1642. 4 novembre : remariage du père de Racine.

1643. 7 février : inhumation du père de Racine âgé de vingt-sept ans. L'enfant est recueilli par ses grands-parents paternels, sa sœur Marie par ses grands-parents maternels, les Sconin.

1649. 22 septembre : inhumation du grand-père paternel de Racine ; sa grand-mère, Marie Desmoulins, est admise comme femme de service à l'abbaye de Port-Royal des Champs (où sa sœur Suzanne s'était retirée en 1625 puis sa propre fille Agnès, devenue professe en 1648).

1649-1653. Racine est éduqué à titre gracieux aux « Petites Écoles » de Port-Royal par les « Solitaires » (ou « Messieurs ») qui s'étaient retirés une dizaine d'années plus tôt dans les « Granges » qui jouxtaient le monastère de Port-Royal des Champs. Il y fait ses trois classes de grammaire et sa première classe de lettres (ce qui correspond aujourd'hui au premier cycle du collège, de la sixième à la troisième).

1653. Il est envoyé au collège de la ville de Beauvais, très lié à Port-Royal, où il demeure jusqu'en 1655. Il y fait sa seconde classe de lettres et sa rhétorique.

1655. Au lieu de faire son année (ou ses deux années) de philosophie, il revient aux Granges de Port-Royal.

1656. 14 janvier-1er février : « censure » prononcée en Sorbonne contre Antoine Arnauld, frère de la Mère Angélique (abbesse et réformatrice de Port-Royal), considéré comme le plus brillant théologien de Port-Royal et le plus redoutable contradicteur des jésuites. Cette censure marque le début des « persécutions » contre les jansénistes.

Mars : dispersion des « Solitaires » et de leurs écoliers ; l'orphelin Racine, pupille du monastère, peut demeurer aux Granges et passe alors aux mains de M. Hamon.

De cette période (1656-1658) date la rédaction par Racine des odes sur *Le Paysage ou Promenade de Port-Royal des Champs*, des poésies latines, ainsi que, probablement, la première version des *Hymnes traduites du Bréviaire romain* qui seront publiées trente ans plus tard.

1658. Octobre : Racine est envoyé à Paris, au collège d'Harcourt (l'actuel lycée Saint-Louis), dont le principal était janséniste, pour faire son année de philosophie (ou logique).

1659\. À sa sortie du collège, Racine est accueilli par son « cousin » Nicolas Vitart à l'hôtel du duc de Luynes, dont il est l'intendant et l'homme de confiance, quai des Grands-Augustins.
7 novembre : traité des Pyrénées, après vingt-quatre années de guerre entre la France et l'Espagne.
Racine écrit un sonnet (perdu) à Mazarin sur la paix des Pyrénées.

1660\. 9 juin : Louis XIV épouse l'infante d'Espagne, Marie-Thérèse.
Septembre : refus par les comédiens du théâtre du Marais de la première pièce de théâtre de Racine (*Amasie*, non conservée). Parallèlement, il se fait remarquer en publiant une ode composée à l'occasion du mariage du roi, *La Nymphe de la Seine à la Reine*.

1661\. Juin : Racine écrit un poème mythologique et galant, *Les Bains de Vénus* (perdu), et dresse le plan d'une nouvelle pièce de théâtre dont le héros était le poète latin Ovide ; contacts infructueux avec la troupe de l'Hôtel de Bourgogne qui font avorter le projet. Sa situation matérielle est alors difficile et il doit emprunter de l'argent.
Octobre : départ pour Uzès, auprès d'un oncle Sconin, vicaire général de l'évêché, dans l'espoir d'obtenir un bénéfice ecclésiastique.

1662\. À cause de l'extrême complexité des affaires du chapitre d'Uzès, la perspective d'obtenir rapidement un bénéfice s'éloigne.

1663\. Avril ou mai (?) : retour de Racine à Paris.
Juin : il se fait remarquer par la publication d'une *Ode sur la convalescence du Roi*, et se voit inscrit dès le mois d'août sur la liste des gratifications royales aux gens de lettres.

12 août : mort à Port-Royal de sa grand-mère Marie Desmoulins (« ma mère »).

Fin octobre : nouvelle ode, *La Renommée aux Muses*, qui l'introduit auprès du comte (futur duc) de Saint-Aignan, l'un des seigneurs les plus proches du roi.

1664. 20 juin : *La Thébaïde ou les Frères ennemis*, première tragédie de Racine, est montée par la troupe de Molière au Palais-Royal ; succès très médiocre. Elle est publiée le 30 octobre, avec une dédicace au duc de Saint-Aignan.

1665. 4 décembre : création d'*Alexandre le Grand* au Palais-Royal. Très grand succès. Mais Racine donne aussi sa pièce à l'Hôtel de Bourgogne où elle est présentée le 18 décembre, ce qui provoque l'effondrement des recettes au Palais-Royal. Brouille irrémédiable avec Molière.

1666. Janvier : publication d'*Alexandre le Grand* avec une dédicace *Au Roi.*

Début de la « querelle des Imaginaires » : Racine est conduit à polémiquer (*Lettre à l'auteur des Hérésies imaginaires et des deux Visionnaires*) avec l'un des « Messieurs » de Port-Royal, Pierre Nicole, qui avait incidemment condamné la mauvaise influence des auteurs de théâtre (*Première Visionnaire*).

3 mai : premier document attestant que Racine est titulaire d'un bénéfice ecclésiastique.

1667. 29 mars : Marquise Du Parc quitte la troupe de Molière et passe dans celle de l'Hôtel de Bourgogne. On ne sait si Racine était déjà son amant.

Avril : rebondissement de la « querelle des Imaginaires ». On a beaucoup de peine à convaincre Racine de renoncer à poursuivre la polémique avec ses anciens protecteurs.

17 novembre : création triomphale d'*Andromaque*

devant la cour, puis quelques jours plus tard à l'Hôtel de Bourgogne. La Du Parc tient le rôle-titre. En décembre, le célèbre comédien Montfleury meurt d'épuisement pour avoir interprété avec trop de violence le rôle d'Oreste.

1668. Janvier ou février : publication d'*Andromaque* avec une dédicace à Madame (Henriette d'Angleterre), la très influente belle-sœur du roi.
25 mai : Molière crée *La Folle Querelle ou la Critique d'Andromaque* de Subligny, comédie satirique qui ridiculise la pièce de Racine et ses admirateurs.
Juin : Saint-Évremond laisse enfin publier sa très critique *Dissertation sur le Grand Alexandre* [de Racine], attendue depuis plus d'un an.
Novembre : création à l'Hôtel de Bourgogne des *Plaideurs*, unique comédie de Racine, qui passe inaperçue jusqu'à ce que le succès d'une représentation à Versailles lui ramène les spectateurs parisiens.
11 décembre : mort de la Du Parc (âgée de trente-cinq ans), probablement des suites d'une fausse couche ou d'un avortement.

1669. Janvier ou février : publication des *Plaideurs*.
13 décembre : première de *Britannicus* à l'Hôtel de Bourgogne, avec un succès très mitigé. Corneille, présent, aurait manifesté ouvertement sa désapprobation.

1670. Janvier ou février : publication de *Britannicus* avec une dédicace au duc de Chevreuse (lié à Port-Royal et gendre de Colbert) et une préface où Corneille est pris violemment à partie.
Rentrée de Pâques : la Champmeslé et son mari font leurs débuts à l'Hôtel de Bourgogne. On ne sait à quel moment Racine est devenu son amant.
21 novembre : *Bérénice* est créée à l'Hôtel de Bour-

gogne avec la Champmeslé dans le rôle-titre. Une semaine plus tard, *Bérénice* de Corneille (publiée sous le titre de *Tite et Bérénice*) est montée par Molière au Palais-Royal. Éclatant succès de la pièce de Racine qui ternit le succès honorable de celle de Corneille.

1671. Janvier : abbé de Villars, *Critique de Bérénice*, suivie quelques jours plus tard de la *Critique de la Bérénice du Palais-Royal.*
24 janvier : publication de *Bérénice*, avec une dédicace à Colbert.
3 février : publication de *Tite et Bérénice* de Corneille.
Mars : publication (anonyme) de la *Réponse à la Critique de Bérénice* (par Saint-Ussans).

1672. 5 janvier : création de *Bajazet* à l'Hôtel de Bourgogne ; très grand succès.
20 février : publication de *Bajazet.*
5 décembre : Racine est élu à l'Académie française.
18 décembre (?) : création de *Mithridate* à l'Hôtel de Bourgogne. Très grand succès qui se prolonge au moins jusqu'à la fin de février 1673.

1673. 12 janvier : réception de Racine à l'Académie française.
2 mars : Racine prend un privilège d'impression pour *Mithridate* et l'ensemble de son théâtre.
16 mars : publication de *Mithridate.*
Publication (sans date) à Utrecht d'une comédie satirique intitulée *Tite et Titus ou Critique sur les Bérénices.*

1674. 18 août : création d'*Iphigénie* dans le cadre des « Divertissements de Versailles » célébrant la conquête de la Franche-Comté.
27 octobre : Racine est reçu dans la charge (anoblis-

sante) de trésorier de France et général des finances de Moulins.

Fin décembre : reprise triomphale d'*Iphigénie* à Paris, sur la scène de l'Hôtel de Bourgogne, où elle succède à *Suréna*, dernière tragédie de Corneille qui n'a obtenu qu'un succès mitigé.

1675. 1er janvier : Mme de Thianges offre au duc du Maine, son neveu, fils de Louis XIV et de Mme de Montespan, la « Chambre Sublime », jouet contenant sous forme de petites figurines de cire, outre Mme de Thianges, Mme de La Fayette et Mme Scarron (future Mme de Maintenon), La Rochefoucauld et son fils, Bossuet, Boileau, Racine et La Fontaine.

Fin janvier (?) : publication d'*Iphigénie*.

24 mai : création au théâtre Guénégaud de l'*Iphigénie* de Le Clerc et Coras.

26 mai : publication des *Remarques sur les Iphigénies de M. Racine et de M. Coras* (anonyme).

Juin (ou juillet) : longue satire en vers attribuée à l'avocat Barbier d'Aucour et intitulée *Apollon charlatan* (ou *Apollon vendeur de Mithridate*) qui recense platement les principales critiques adressées aux différentes pièces de Racine.

Publication du premier volume (imprimé en 1674) de l'édition collective des *Œuvres* de Racine, textes et préfaces remaniés.

1676. Début de l'année : second volume de l'édition collective des *Œuvres* de Racine, achevé d'imprimer à la fin de 1675.

1677. 1er janvier : création à l'Hôtel de Bourgogne de *Phèdre et Hippolyte* (elle prendra le titre de *Phèdre* seulement dans l'édition collective de 1687).

3 janvier : création au théâtre Guénégaud de la

Phèdre et Hippolyte de Pradon, dont le succès tient en balance celui de la pièce de Racine.
10 mars : publication de la *Dissertation sur les tragédies de Phèdre et Hippolyte* (anonyme).
13 mars : publication de la pièce de Pradon.
15 mars : publication de la pièce de Racine.
1er juin : Racine épouse Catherine de Romanet, dont il aura deux fils et cinq filles. Elle a vingt-cinq ans, et sa fortune est équivalente à celle que possède désormais Racine.
Septembre : la nouvelle se répand que Louis XIV a chargé Racine et Boileau d'être ses historiographes, emploi qui implique de renoncer à toute activité littéraire.

1678. Février-mars : Racine et Boileau suivent le roi dans la campagne qui aboutit à la prise de Gand ; on se moquera longtemps de l'extrême prudence des deux poètes.

1679. 17 mai : visite de Racine à sa tante, la Mère Agnès de Sainte-Thècle, premier indice d'un rapprochement avec Port-Royal.
Novembre : Racine est soupçonné dans « l'affaire des Poisons », la Voisin l'ayant accusé d'avoir empoisonné Marquise Du Parc en 1668.

1680. Janvier : les ordres sont prêts pour faire arrêter Racine quand on découvre que c'est une autre Du Parc qui avait été empoisonnée (en 1678).
18 août : création de la Comédie-Française, par la fusion de la Troupe Royale de l'Hôtel de Bourgogne et de la Troupe du Roi de l'Hôtel Guénégaud.

1683. Pour le carnaval, Racine et Boileau composent un « petit opéra » (sans doute un livret de ballet) qui ne sera pas publié.

Fin de l'année : Racine devient (avec Boileau) l'un des neuf membres de l'Académie des inscriptions (dite Petite Académie).

1684. 1er octobre : mort de Pierre Corneille.

Fin de l'année : *Éloge historique du Roi sur ses conquêtes* par Boileau et Racine.

1685. 2 janvier : à l'occasion de la réception de Thomas Corneille au fauteuil de son frère à l'Académie française, Racine prononce un vibrant éloge de Pierre Corneille.

16 juillet : l'*Idylle sur la paix*, commandée à Racine par le marquis de Seignelay (fils et successeur de Colbert), est chantée (sur une musique de Lully) lors de l'inauguration de l'orangerie du château de Sceaux en présence du roi et de la cour.

1686. Premier *Parallèle de MM. Corneille et Racine*, par Longepierre (à l'avantage de Racine).

1687. 15 avril : deuxième édition collective des *Œuvres* de Racine.

15 novembre : *Le Bréviaire romain en latin et en français* est publié par Le Tourneux (avec la date 1688) ; la traduction de la plupart des hymnes des Féries est l'œuvre (ancienne mais revue) de Racine.

1689. 26 janvier : *Esther*, tragédie biblique commandée à Racine par Mme de Maintenon pour les jeunes filles de sa fondation de Saint-Cyr, est créée avec succès en présence du roi et d'une partie de la cour. La musique des parties chantées est l'œuvre de Moreau. La pièce est publiée à la fin du mois de février ou au début du mois de mars.

1690. La tante de Racine, la Mère Agnès de Sainte-Thècle, est élue abbesse de Port-Royal des Champs.

12 décembre : Racine accède à la charge de gentilhomme ordinaire de la chambre du roi.

1691. 5 janvier : première répétition publique d'*Athalie* à Saint-Cyr devant le roi et quelques invités. Deux autres répétitions auront lieu en février en présence d'une assistance tout aussi restreinte. La pièce, qui ne fera pas l'objet d'une création avec costumes, décor et orchestre, est publiée en mars.

1692. Publication sans nom d'auteur de la *Relation de ce qui s'est passé au siège de Namur* ; l'attribution à Racine est contestée.

1693. Mai-début juin : Racine suit Louis XIV dans la campagne des Pays-Bas (la dernière qu'il mena en personne), après l'avoir accompagné dans toutes ses campagnes depuis sa nomination comme historiographe du Roi.

15 juin : discours de réception de La Bruyère à l'Académie française contenant un parallèle entre Corneille et Racine abaissant le premier au profit du second.

Juillet : en réaction, Fontenelle, neveu de Corneille, publie un *Parallèle de Corneille et de Racine*, tout à l'avantage de Corneille.

2 novembre : Louis XIV accorde à Racine la survivance de sa charge de gentilhomme ordinaire en faveur de son fils aîné

1694. 9 mai : Bossuet condamne le P. Caffaro qui venait de défendre la moralité du théâtre. Il cite l'exemple de Racine, « qui a renoncé publiquement aux tendresses de sa *Bérénice* ».

Fin de l'été : à la demande de Mme de Maintenon, Racine compose quatre *Cantiques spirituels*, dont trois sont mis en musique par Moreau et un par Delalande.

1695. 20 juin : Louis XIV attribue à Racine un logement à Versailles.

Racine entreprend la rédaction (peut-être dès 1693) de l'*Abrégé de l'histoire de Port-Royal* (inachevé ; la première partie sera publiée en 1742, la seconde en 1767).

1696. Février : il achète une charge de conseiller secrétaire du roi.

1697. Troisième et dernière édition collective de ses *Œuvres* qui intègre *Esther*, *Athalie* et les *Cantiques spirituels* et qui contient de nombreuses corrections.

1698. Février-mars : Racine semble avoir été accusé de jansénisme auprès de Mme de Maintenon, mais le refroidissement de celle-ci et du roi à son égard relève de la légende ; seules sa sincère dévotion et les premières atteintes de la maladie le poussent à se tenir dans une semi-retraite.

1699. 21 avril, entre trois heures et quatre heures du matin : mort de Racine (probablement d'un cancer du foie). Louis XIV donne son autorisation pour qu'il soit enseveli à Port-Royal, conformément à ses volontés.

1711. Destruction de Port-Royal des Champs. Le 2 décembre, les restes de Racine sont transférés en l'église Saint-Étienne-du-Mont, derrière le maître-autel, près de la tombe de Pascal.

NOTICE

I. HISTOIRE DE LA PIÈCE

Britannicus fut joué pour la première fois le vendredi 13 décembre 1669 et publié dans les premiers mois de 1670[1]. Dans la préface qu'il mit en tête de la deuxième édition de sa pièce, publiée en 1675, alors qu'il avait déjà composé les trois quarts de son œuvre dramatique, Racine expliquait qu'il s'agissait de la tragédie qu'il avait le plus travaillée. On ignore pourtant tout de sa genèse. Un an seulement la sépare de la pièce précédente, *Les Plaideurs* (eux-mêmes postérieurs d'un an à *Andromaque*), et *Bérénice* sera créée douze mois plus tard. Ce soin particulier dont parle Racine ne se mesure donc pas en termes d'étalement dans le temps. À en croire son fils, il aurait pris la peine de soumettre son travail à Boileau qui lui aurait fait apporter des modifications. Il en cite pour preuve une scène entière — un

1. Le privilège pour l'impression est daté du 7 janvier, mais, dans la mesure où l'édition originale ne porte pas d'achevé d'imprimer, cette date ne signifie rien : il s'écoulait alors souvent de longs mois entre le privilège et l'impression d'un livre. Mais, comme nous le verrons plus loin, en raison du succès médiocre remporté par sa pièce à la création, Racine avait tout intérêt à la publier vite. Elle a pu paraître dès le mois de février.

dialogue entre Burrhus et Narcisse — qui devait ouvrir le troisième acte et que Boileau lui aurait fait supprimer[1]. Mais nous ne possédons pas d'autres détails. Il semble seulement que Racine ait fait savoir que sa nouvelle pièce devait dépasser, si ce n'est ridiculiser tout ce qui s'était fait jusqu'alors en matière de tragédie, comme nous allons voir.

Nous sommes mieux renseignés sur les circonstances de la création. L'écrivain Edme Boursault en a fait le récit — satirique — dans les premières pages d'une nouvelle, *Artémise et Poliante*, qu'il a publiée quelques mois plus tard[2]. Ce vendredi 13 décembre 1669 la salle de l'Hôtel de Bourgogne était loin d'être aussi remplie qu'on pouvait l'attendre pour la première d'une nouvelle tragédie de Racine. Non que Racine fût déjà considéré comme le meilleur auteur tragique de son temps — la royauté littéraire du « Grand Corneille » n'étant pas encore battue en brèche. Mais l'exceptionnel succès d'*Andromaque* deux ans plus tôt, les manières brutales dont usait le poète pour s'imposer dans le milieu littéraire[3], et l'annonce d'une tragédie romaine, spécialité de Corneille, qui devait démoder tout ce qui s'était fait jusqu'alors — « le *Britannicus* de M. Racine, qui ne menaçait pas moins que de mort violente tous ceux qui se mêlent d'écrire pour le théâtre », ironise Boursault[4] —, auraient dû faire de la créa-

1. *Mémoires sur la vie de Jean Racine*. On pourra lire cette scène dans l'Appendice II, p. 191.

2. Juillet 1670. Nous reproduisons ce récit dans l'Appendice I, p. 187.

3. Brutalité dont il avait fait preuve dès 1665 lors de la création d'*Alexandre*. Sur l'attitude de Racine, voir R. Picard, *La Carrière de Jean Racine*, A. Viala, *Racine, la stratégie du caméléon*, J. Rohou, *Jean Racine entre sa carrière, son œuvre et son Dieu*.

4. Il va de soi que la phrase est à double entente, puisque le sujet peut être aussi bien *Britannicus* que Racine lui-même : il renvoie ainsi à la brutalité de Racine, mais c'est surtout d'une mort métaphorique qu'il s'agit ; Racine devait avoir laissé entendre que *Britannicus* allait dégoû-

tion de *Britannicus* un véritable événement. D'ailleurs Corneille ne s'y était pas trompé, qui était présent dans une loge. Mais *Britannicus* subissait de plein fouet la concurrence d'un autre spectacle, moins fréquent qu'une représentation théâtrale et plus prisé des habitués du parterre de l'Hôtel de Bourgogne : une exécution capitale en place de Grève, d'un aristocrate, qui plus est[1]. Cette concurrence et les critiques émises immédiatement et publiquement par les ennemis de Racine ont eu pour résultat que, comme l'écrit Boursault, « la pièce n'a pas eu tout le succès qu'on s'en était promis ». Gageons cependant que Boursault ne se serait pas contenté d'une litote si la première de *Britannicus* avait été un four total. Petit succès d'estime il y eut probablement : elle comprenait « d'aussi beaux vers qu'on en puisse faire », concède Boursault, « car il est impossible que M. Racine en fasse de méchants ».

On a coutume de nos jours de lire dans ce texte l'aveu qu'une cabale fut montée contre Racine, puisque Boursault raconte que « les auteurs qui ont la malice de s'attrouper pour décider souverainement des pièces de théâtre, et qui s'arrangent d'ordinaire sur un banc de l'Hôtel de Bourgogne, qu'on appelle le banc formidable[2], à cause des injustices qu'on y rend, s'étaient dispersés de peur de se faire reconnaître ». Passons sur le fait que cette phrase signifie exactement le contraire de ce qu'on veut lui faire dire : si les

---

ter tous les autres dramaturges d'écrire pour le théâtre. D'ailleurs Boursault explique plus loin que plutôt que d'aller se pendre comme ses confrères après avoir vu *Britannicus*, il avait décidé de se mettre au parterre « pour avoir l'honneur de [s]e faire étouffer par la foule ». Rappelons qu'au XVIIe siècle, les places les moins chères étaient celles du parterre, où le public se tenait debout.

1. Le marquis de Courboyer, condamné à mort pour une dénonciation calomnieuse de lèse-majesté contre le sieur d'Aulnoy.

2. Au sens étymologique de terrifiant.

rivaux de Racine avaient voulu faire tomber la pièce, ils se seraient précisément regroupés sur le «banc formidable». Aussi l'interprète-t-on comme la preuve d'une malignité supérieure : se disperser pour mieux nuire à la pièce. Or, non seulement le texte n'explique pas comment cela eût été possible, mais il donne d'autres raisons à cette dispersion. La phrase se poursuit en effet de la manière suivante : «et tant que durèrent les deux premiers actes, l'appréhension de la mort leur faisait désavouer une si glorieuse qualité» (ils n'osaient se faire reconnaître en tant qu'auteurs); on lit ensuite que le troisième acte les rassura un peu, qu'au contraire le quatrième les inquiéta et qu'enfin le cinquième acte «qu'on estime le plus méchant de tous, eut pourtant la bonté de leur rendre tout à fait la vie». Il est clair que Boursault joue avec l'idée qu'il a développée au début de son compte rendu: dans la mesure où «le *Britannicus* de M. Racine [...] ne menaçait pas moins que de mort violente tous ceux qui se mêlent d'écrire pour le théâtre», les auteurs, terrifiés par cette menace, avaient cherché à éviter cette mort annoncée, n'occupant pas leur place habituelle et dissimulant même qu'ils étaient des auteurs. Tel est le sens aussi de l'évocation de Corneille tout seul dans une loge : lui seul se sentait assez fort pour oser affronter la mort en face, et d'ailleurs Boursault, craignant qu'il ne fût pas capable de faire face jusqu'au bout à ce *Britannicus* qui devait tout balayer sur son passage, avait résolu de le prier «d'avoir la bonté de se précipiter sur moi, au moment que l'envie de se désespérer le voudrait prendre».

Les représentations suivantes ne paraissent pas avoir renversé l'impression créée par ces débuts mitigés. Les premiers historiens du théâtre, au XVIIIe siècle, disent que la pièce est tombée très vite, parlant d'un total de cinq représentations, ou de huit. Affirmations sans preuve, mais que ne viennent pas contredire les différentes préfaces de Racine.

Si au début de la première préface, postérieure de quelques semaines seulement à la création, il parle d'une égalité d'applaudissements et de critiques — ce qui, de la part d'un auteur, est déjà un aveu —, la violence de ses attaques, contre Corneille notamment, témoigne de la rage d'un homme ulcéré par l'échec. Et la préface de 1675 le confirme. À cette date, les mérites de la pièce sont désormais unanimement reconnus, et Racine peut s'exprimer en toute sérénité : « Cependant j'avoue que le succès ne répondit pas d'abord à mes espérances. À peine elle parut sur le théâtre, qu'il s'éleva quantité de critiques qui semblaient la devoir détruire. Je crus moi-même que sa destinée serait à l'avenir moins heureuse que celle de mes autres tragédies. »

On ne sait à quel moment vint la faveur. Le mouvement de réhabilitation partit peut-être de la cour, d'une représentation devant le roi, comme cela avait été le cas un an plus tôt pour *Les Plaideurs*. Le fait n'est pas attesté. En tout cas, c'est bien par là que Racine espérait sauver sa pièce : il la publie très vite, en la dédiant au duc de Chevreuse, l'un des premiers personnages de la cour, qui était en outre le gendre du tout-puissant Colbert auquel il prend soin de faire une allusion très claire dans sa dédicace. Le ministre — « dont toutes les heures sont précieuses » et qui ne passait guère pour s'intéresser de près aux choses de l'esprit[1] — aurait pris le temps de se faire lire *Britannicus* par Racine lui-même ! C'était faire valoir que cette tragédie était du plus haut prix.

Quant aux critiques qui lui ont été adressées, leur teneur nous est connue par Boursault et par la préface de Racine. À en croire Boursault, qui prétend rapporter les avis des poètes rivaux avant de donner le sien propre, on ne trouvait rien à

1. Ce qui ne l'empêchait pas d'être le maître d'œuvre de la politique de mécénat de Louis XIV. Racine lui dédiera *Bérénice* l'année suivante et lui demandera de signer sur son contrat de mariage en 1677.

sauver dans *Britannicus* que les deux premiers actes, et les vers, jugés « fort épurés ». Les justifications de Racine dans sa préface corroborent la réalité de plusieurs de ces critiques, tout en les précisant. On a attaqué certains caractères, en particulier ceux de Néron, de Britannicus et de Narcisse. On a dénoncé certaines inexactitudes historiques, concernant notamment l'identité de Junie, la date de la mort de Britannicus, qui vit deux ans de trop, la retraite de Junie chez les vestales, comme s'il s'agissait d'une communauté religieuse chrétienne. Curieusement, le recueil d'anecdotes consacré à Boileau, le *Bolœana*, prête à l'ami de Racine des critiques du même type. Leur authenticité est sujette à caution dans la mesure où elles contredisent absolument les indications de Louis Racine sur la genèse de *Britannicus*. Quoiqu'il soit lui-même généralement peu fiable, il nous a livré l'intégralité de la scène que Boileau aurait fait supprimer à Racine et aurait lui-même conservée (voir l'Appendice II, p. 191). On peut certes penser que Racine n'a pas suivi toutes les recommandations de Boileau, mais il est bien possible aussi que l'interprète de Boileau ait attribué à celui-ci ses propres réserves : « Il n'était pas content du dénouement. Il disait qu'il était trop puéril ; que Junie, voyant son amant mort, se fait tout à coup religieuse, comme si le couvent des Vestales était un couvent d'Ursulines, au lieu qu'il fallait des formalités infinies pour recevoir une vestale. Il disait encore que Britannicus est trop petit devant Néron. »

Surtout on a critiqué la construction même de la pièce, et particulièrement le cinquième acte, jugé languissant une fois connue la mort de Britannicus. Il semble, eu égard à la mise en cause de Corneille dans la préface, que bon nombre de ces critiques soient venues de lui ou de ses partisans. Il est certain que cette tragédie avait de quoi les choquer comme nous l'avons vu dans notre préface. Cependant il y avait surtout beaucoup de préventions à l'égard de Racine, comme s'il n'était de tragédie romaine et politique que de Corneille. En témoigne la critique de Saint-Évremond, admirateur notoire de Corneille, qui ne sauve lui aussi de *Britannicus* que la qualité de ses vers et la peinture des caractères : « J'ai lu *Britannicus* avec assez d'attention pour y remarquer de belles choses. Il passe à mon sens l'*Alexandre* et l'*Andromaque* ; les vers en sont plus magnifiques, et je ne serais pas étonné qu'on y trouvât du sublime. Cependant je déplore le malheur de cet auteur d'avoir si dignement travaillé sur un sujet qui ne peut souffrir une représentation agréable. En effet, l'idée de Narcisse, d'Agrippine et de Néron, l'idée, dis-je, si noire et si horrible qu'on se fait de leurs crimes, ne saurait s'effacer de la mémoire du spectateur, et quelques efforts qu'il fasse pour se défaire de la pensée de leurs cruautés, l'horreur qu'il s'en forme détruit en quelque manière la pièce. Je ne désespère pas de ce nouveau génie, puisque la *Dissertation sur Alexandre* l'a corrigé. Pour les caractères, qu'il a merveilleusement bien représentés dans le *Britannicus*, il serait à souhaiter qu'il fût toujours aussi docile ; l'on pourrait attendre de lui qu'il approcherait un jour d'assez près M. de Corneille[1]. »

Critiques de prévention, donc, que Racine était fondé à balayer d'un revers de la main. Il en est une néanmoins qu'il a prise en compte dans la deuxième édition de sa tragédie (1675), après l'avoir pourtant vivement combattue en 1670 dans sa préface (il ne pouvait alors, il est vrai, faire la moindre concession à ses adversaires) : « on trouve étrange qu'elle [Junie] paraisse sur le théâtre après la mort de Britannicus » pour dire simplement qu'elle se retire auprès d'Octavie ; elle l'exprime de façon touchante, « mais, disent-

1. Lettre à M. de Lionne (printemps 1670). Rappelons que Saint-Évremond était l'auteur de cette *Dissertation d'Alexandre* dont il parle ici : il s'attribue donc le mérite d'avoir mis le talent de Racine sur le droit chemin de la bonne tragédie.

ils, cela ne valait pas la peine de la faire revenir». Or dans l'édition de 1675 cette scène contestée a disparu. Scène inutile, dans la mesure où il a suffi à Racine de changer deux mots dans celles qui la précèdent et la suivent immédiatement pour assurer la continuité du texte et de l'action? Scène inutile pour l'action, assurément. Mais elle portait le caractère de Néron — hypocrite et mielleux consolateur de Junie — au comble du monstrueux. Était-ce trop, justement? Voici cette scène :

SCÈNE VI

NÉRON, AGRIPPINE, JUNIE, BURRHUS

NÉRON, *à Junie*

De vos pleurs j'approuve la justice.
Mais, Madame, évitez ce spectacle odieux.
Moi-même en frémissant j'en détourne les yeux.
Il est mort. Tôt ou tard il faut qu'on vous l'avoue.
Ainsi de nos desseins la fortune se joue.
Quand nous nous rapprochons, le ciel nous désunit.

JUNIE

J'aimais Britannicus, Seigneur, je vous l'ai dit.
Si de quelque pitié ma misère est suivie,
Qu'on me laisse chercher dans le sein d'Octavie
Un entretien conforme à l'état où je suis.

NÉRON

Belle Junie, allez, moi-même je vous suis.
Je vais par tous les soins que la tendresse inspire,
Vous...

SCÈNE VII [devenue la scène VI]

AGRIPPINE, NÉRON, BURRHUS, NARCISSE

AGRIPPINE

Arrêtez, Néron. J'ai deux mots à vous dire.

II. LES ENJEUX D'UNE PRÉFACE

À se placer sur le plan de l'histoire littéraire, *Britannicus* est aussi important par sa première préface que par le contenu de la tragédie. Depuis trois siècles, la critique, tout en notant le caractère polémique de cette préface largement dirigée contre Corneille, a négligé d'en évaluer les conséquences : à savoir qu'un texte polémique ne se contente pas d'attaquer un adversaire et de souligner ses contradictions[1], mais va puiser chez celui-ci des caractéristiques secondaires, des détails mineurs pour les présenter comme la nature fondamentale des dits ou des écrits de l'adversaire. Or on accorde que Racine polémique et que lui-même ne se soumettra pas toujours à cette extrême simplicité qu'il érige ici en dogme (pas plus d'ailleurs qu'à sa conception de l'imperfection du héros[2]), sans voir qu'il polémique vraiment, c'est-à-dire qu'il généralise une particularité — la surcharge d'événe-

1. Selon Racine, Corneille a critiqué l'âge que Racine prête à Britannicus ainsi que le fait d'avoir fait vivre Narcisse à ses côtés alors qu'il était mort depuis l'avènement de Néron : Corneille était effectivement mal placé pour le faire et Racine rappelle à juste titre les libertés qu'il avait prises dans *Héraclius*. On notera cependant que cette tragédie avait été explicitement présentée par Corneille comme une expérience limite (« une hardie entreprise sur l'histoire »).

2. Outre le caractère peu assuré de cette conception (voir notre préface), il n'hesitera pas à mettre lui-même un héros parfait à la mode cornélienne dans *Mithridate*.

ments — propre à une toute petite partie de l'œuvre de Corneille, particularité que Corneille lui-même avait été conduit à mettre en valeur dans un autre contexte polémique.

À l'appui de cette conception prétendue de l'action tragique cornélienne, on invoque volontiers[1] un passage du *Discours de la tragédie* (1660) où Corneille expliquait que « Dans la tragédie les affaires publiques sont mêlées d'ordinaire avec les intérêts particuliers des personnes illustres qu'on y fait paraître : il y entre des batailles, des prises de villes, de grands périls, des révolutions d'États, et tout cela va malaisément avec la promptitude que la règle nous oblige de donner à ce qui se passe sur la scène[2] ». On y a vu l'aveu d'une poétique, celle de la tragédie héroïque, fondée sur la primauté d'une action dynamique, et donc de la multiplication des incidents, qui s'opposerait à la simplicité racinienne. Mais quelle autre pièce que *Le Cid* est-elle remplie de cette « quantité d'incidents qui ne se pourraient passer qu'en un mois » dont parle Racine ? Il n'y a guère que *Pompée*, associé au *Cid* pour cette raison par Corneille lui-même — « *Le Cid* et *Pompée*, où les actions sont un peu précipitées[3]... ». C'était de sa part reconnaître qu'il est de vastes sujets qui s'accordent difficilement avec la règle des vingt-quatre heures, clé de voûte de la dramaturgie classique ; et d'en déduire que c'est la règle qui devrait s'accorder à l'action dramatique et non l'action se soumettre à la règle. Affirmation polémique, dirigée en fait contre les théoriciens classiques qui avaient critiqué *Le Cid* vingt ans plus tôt parce que s'y succèdent effectivement en moins de vingt-

1. Voir R. Picard, *La Carrière de Jean Racine*, p. 150, et J. Rohou, *Jean Racine*, p. 257-258.

2. *Œuvres complètes*, Pléiade, vol. III, p. 172. Cette phrase reprend un autre passage du même *Discours* (p. 171).

3. *Discours des trois unités*, dans *Œuvres complètes*, Pléiade, vol. III, p. 184.

quatre heures deux scènes de procès, deux duels et la bataille contre les Maures : elle n'engageait nullement l'esthétique tragique de Corneille, qui n'avait pas attendu Racine pour comprendre que la règle des vingt-quatre heures impliquait une action dramatique peu chargée d'événements. D'ailleurs en 1657 le plus important théoricien du théâtre classique, l'abbé d'Aubignac, avait justement souligné l'extrême simplicité de ses intrigues : « Ce qui les [les pièces de Monsieur Corneille] a si hautement élevées par-dessus les autres de notre temps, n'a pas été l'intrigue, mais le discours ; leur beauté ne dépend pas des actions, dont elles sont bien moins chargées que celles des autres poètes, mais de la manière d'exprimer les violentes passions qu'il y introduit[1]. »

En second lieu, l'habileté rhétorique de Racine a consisté dans le passage le plus fameux de cette préface — « une action simple, chargée de peu de matière, telle que doit être une action qui se passe en un seul jour » — à amalgamer des concepts théoriques qui ont normalement une existence indépendante. La poétique tragique, telle qu'elle a été définie par Aristote au IVe siècle avant J.-C. puis par Corneille, n'accordait aucune interdépendance aux concepts d'*action simple* et d'*importance de la matière*. Chez Aristote comme chez Corneille, en effet, l'action simple est celle qui assure le passage du bonheur au malheur de façon continue, sans recourir à un coup de théâtre qui provoque le dénouement en inversant le cours de l'action ; l'action complexe, inversement, est celle dans laquelle le dénouement est provoqué par un coup de théâtre qui déjoue l'attente des spectateurs et suscite par là un violent effet de surprise. De ce point de vue, une action simple peut comporter beaucoup d'événements, sans que cette multiplication modifie en quoi que ce

1. *La Pratique du théâtre*, éd. Pierre Martino, Alger, Carbonel, 1927, p. 284.

soit son caractère simple. *Britannicus*, qui repose dès le commencement sur le conflit entre Néron et Britannicus et s'achève sans surprise sur l'assassinat de Britannicus, est donc une pièce peu chargée d'événements qui repose sur une action simple. En soi, ce n'était pas une nouveauté. Sauf que Corneille avait fait sa spécialité de la structure complexe, y compris dans des « pièces simples » chargées de peu de matière, comme *Cinna* : *Cinna* est, en effet, une pièce simple dont l'action est complexe dans la mesure où son dénouement est assuré par un retournement qui inverse le cours des actions. Ainsi associer *action simple* et *chargée de peu de matière* permettait de laisser croire que Corneille, partisan de l'action complexe, avait eu le goût des intrigues pleines d'événements. Le mal a été grand pour la compréhension de l'esthétique cornélienne par la postérité, dans la mesure où c'est à partir de cette attaque que l'histoire littéraire — tout acquise à l'idée que Racine représente le terme d'une évolution vers la perfection d'un genre, et que, partant, ses critiques dénoncent un état antérieur et inférieur de ce genre — a construit sommairement sa vision de la tragédie cornélienne[1].

III. MISE EN ŒUVRE DES SOURCES HISTORIQUES

Dans son récit de la première de la pièce, Boursault ironise sur le quatrième acte « qui contient une partie de l'histoire romaine, et qui par conséquent n'apprend rien qu'on ne puisse voir dans Florus et dans Coëffeteau[2] ». C'était dénier

1. Ce qui est d'ailleurs déjà la position de La Bruyère : « il a aimé [...] à charger la scène d'événements dont il est presque toujours sorti avec succès » (*Les Caractères*, I, 54).

2. Coëffeteau avait traduit de latin en français l'*Abrégé de l'histoire romaine* de Florus avant de publier sa propre *Histoire romaine*.

à Racine d'autres lectures que celle de ces deux compilateurs, fameux à l'époque et qui figuraient dans les bibliothèques des honnêtes hommes du XVIIe siècle ; c'était laisser entendre qu'il avait compilé des compilateurs, bien incapable de remonter aux vraies sources historiques comme le faisait de son côté Corneille. C'est pourtant le contraire qui est vrai. Voulant rejoindre Corneille dans le genre de la tragédie historique et romaine, il était justement remonté aux sources, aux historiens latins qui avaient fait l'histoire des premiers empereurs romains, notamment à Suétone (*Vies des douze Césars*) et surtout au plus grand de tous, Tacite. Ce qu'il nous en dit en 1675 doit être cru sur parole : « À la vérité j'avais travaillé sur des modèles qui m'avaient extrêmement soutenu dans la peinture que je voulais faire de la cour d'Agrippine et de Néron. J'avais copié mes personnages d'après le plus grand peintre de l'Antiquité, je veux dire d'après Tacite. Et j'étais alors si rempli de la lecture de cet excellent historien, qu'il n'y a presque pas un trait éclatant dans ma tragédie, dont il ne m'ait donné l'idée. J'avais voulu mettre dans ce recueil un extrait des plus beaux endroits que j'ai tâché d'imiter. Mais j'ai trouvé que cet extrait tiendrait presque autant de place que la tragédie[1]. » De fait, l'auteur des *Annales* — ouvrage décrivant la période couvrant les principats de Tibère, Caligula, Claude, Néron et de ses trois éphémères successeurs (Galba, Othon, Vitellius) — ne fournissait pas seulement à Racine l'ensemble des événements liés à la mort de Britannicus et l'évocation des noms des futures victimes de Néron : d'autres historiens latins, comme Suétone, qu'il mettra à contribution un an plus tard pour *Bérénice*, auraient pu y suffire. Mais Tacite avait — et doit encore aujourd'hui — sa réputation à la sub-

1. Préface à l'édition de 1675. On trouvera dans l'Appendice III, p. 196, le récit par Tacite de la mort de Britannicus.

tilité avec laquelle il a analysé les mécanismes psycho-politiques qui régissaient le fonctionnement et les crises de cet étonnant régime qu'était l'empire, régime oscillant selon les périodes entre la monarchie et la dictature sous la couverture des institutions républicaines que les empereurs s'étaient gardés d'abolir. Nous disons bien mécanismes *psycho*-politiques : c'est cela qui lui avait valu la réputation d'être, comme le dit Racine, « le plus grand peintre de l'Antiquité ».

Comme les meilleures tragédies historiques du XVIIe siècle, *Britannicus* repose sur un subtil mélange de fidélité et d'infidélités à l'histoire qui constitue la source de la pièce : la théorie du genre tragique[1] postulait la fidélité dans les grandes lignes de l'action (en l'occurrence Britannicus fut empoisonné sur l'ordre de Néron au cours d'un banquet auquel il participait lui-même) et autorisait toute latitude à l'imagination pour les détails et pour les « épisodes » — au premier rang desquels l'épisode amoureux. Ainsi, Racine, comme il le rappelle dans sa préface de 1670, était parfaitement fondé à inventer de toutes pièces une jeune fille qu'aurait aimée Britannicus : il s'est contenté de faire jouer ce rôle imaginaire par une princesse romaine qui a effectivement vécu à cette époque, mais dont l'existence avait si peu attiré l'attention des historiens que lui faire aimer Britannicus ne contredisait pas le peu que l'on savait d'elle ; sauf à modifier certains détails pour permettre leur rencontre amoureuse, en particulier vieillir un peu Britannicus et passer sous silence l'âge réel de Junia Calvina (qui devait avoir autour de vingt-cinq ans à cette époque). En ce qui concerne Narcisse, les entorses historiques concernant son rôle sont au premier abord plus graves : l'affranchi de Claude avait été contraint par Agrippine à se donner la mort dès le tout début du règne

1. Voir notre étude « Théorie et pratique de l'histoire dans la tragédie classique », *Littératures classiques*, 11, 1989, p. 95-108.

de Néron, c'est-à-dire quelques mois avant l'assassinat de Britannicus, dont il ne peut ainsi avoir été ni le confident, ni l'assassin ; mais à se placer au plan de la poétique tragique du XVIIe siècle, Narcisse n'est, tout comme Junie (et comme Burrhus), qu'un personnage « épisodique » et Racine pouvait en faire ce qu'il voulait. Quant à l'arrière-plan historique et politique, Racine a puisé à pleines mains chez Tacite et Suétone pour évoquer — *évoquer* et non reproduire, le principe de la « couleur locale » était alors inconnu —, dans le cadre d'une seule journée tragique, la période troublée de la fin du règne de Claude et du début de celui de Néron, se contentant d'amalgamer, sans les trahir, les indications des historiens. Ainsi le célèbre dialogue entre Agrippine et Néron (IV, 2) a effectivement eu lieu et s'est terminé comme dans la pièce, Agrippine obtenant « de tirer vengeance de ses accusateurs et de récompenser ses amis » (Tacite, *Annales*, XIII, 21). Mais il s'est tenu postérieurement à la mort de Britannicus, lorsque Agrippine avait dû se défendre d'avoir soutenu un complot imaginaire contre son fils. En outre Tacite ne nous a pas livré le détail de l'entretien et Racine l'a reconstruit en se livrant à une éblouissante synthèse des longs développements de l'historien concernant la prise du pouvoir par Agrippine. En définitive, le poète n'est coupable que d'un seul anachronisme grave, la retraite de Junie chez les vestales, dont on lui a fait grief dès la création de la pièce et dont il se défend maladroitement à la fin de la préface de 1675 en se plaçant sur le seul plan de l'âge de Junie, comme pour faire oublier l'ironie avec laquelle Boursault l'avait épinglé sur ce point : certains, raconte-t-il, « trouvèrent la nouveauté de la catastrophe si étonnante, et furent si touchés de voir Junie, après l'empoisonnement de Britannicus, s'aller rendre religieuse dans l'ordre de Vesta qu'ils auraient nommé cet ouvrage une tragédie chrétienne, si l'on ne les eût assurés que Vesta ne l'était pas ».

IV. DE L'HISTOIRE À LA PETITE HISTOIRE

Néron artiste. Les prétentions de cet empereur romain à composer des œuvres poétiques et à se donner en spectacle, déclamant, chantant ou jouant la tragédie au milieu des applaudissements de la foule (Suétone y a consacré de longues pages dans le chapitre consacré à Néron de ses *Vies des douze Césars*) sont demeurées si célèbres que Racine ne pouvait pas ne pas y faire allusion. Il a eu l'idée remarquable de les mettre au compte des reproches que, selon Narcisse, les faux amis de Néron lui adressaient dans son dos, et d'en faire l'élément clé qui détermine le revirement de l'empereur (IV, 4, v. 1468-1478). Selon Boileau, ces vers auraient eu une influence directe sur « un grand prince » dans lequel on a accoutumé de voir Louis XIV[1] : « Un grand prince, qui avait dansé à plusieurs ballets, ayant vu jouer le *Britannicus* de M. Racine, où la fureur de Néron à monter sur le théâtre est si bien attaquée, il ne dansa plus à aucun ballet, non pas même au temps du carnaval[2]. » Les qualités de danseur de Louis XIV étaient en effet reconnues, et il participait, avec les plus grands seigneurs de son entourage, aux ballets de cour qui comptaient parmi les plus beaux spectacles de la monarchie, ainsi qu'aux prologues et intermèdes dansés de certaines comédies-ballets de Molière. Or, deux mois après la création de *Britannicus*, Louis XIV était annoncé dans le ballet des *Amants magnifiques* de Molière (la pièce impri-

1. Dans ses *Mémoires sur la vie et les ouvrages de Jean Racine*, son fils Louis tient la chose pour entendue : « On sait l'impression que firent sur Louis XIV quelques vers de cette pièce. [...] Ces vers frappèrent le jeune monarque, qui avait quelquefois dansé dans les ballets ; et quoiqu'il dansât avec beaucoup de noblesse, il ne voulut plus paraître dans aucun ballet, reconnaissant qu'un roi ne doit point se donner en spectacle » (dans Racine, *Œuvres complètes*, Pléiade, vol. I, p. 29-30).

2. Lettre à Monchesnay, septembre 1707.

mée le mentionne dans la distribution), mais, comme le rapporte le gazetier Robinet dans sa lettre en vers du 15 février 1670, « il fit danser et ne dansa point ». La coïncidence avait, on le voit, de quoi frapper les esprits, à condition qu'elle fût réelle et qu'elle n'ait pas été reconstruite après coup. Car on n'a aucune trace d'une représentation de *Britannicus* à la cour entre décembre 1669 et février 1670, et Racine dans sa dédicace ne parle que d'une lecture qu'il aurait faite à Colbert, nullement au souverain lui-même. D'un autre côté, il semble d'après une autre lettre de Robinet (9 mars 1669) que depuis un certain temps déjà Louis XIV ne dansait plus que très exceptionnellement. Anecdote un peu trop belle pour être vraie ; mais il y avait de quoi rehausser la gloire de Racine et confirmer le pouvoir « instructif » de la tragédie.

APPENDICES

I. LE RÉCIT DE BOURSAULT
(*Artémise et Poliante*, 1670[1])

Il était sept heures sonnées par tout Paris quand je sortis de l'Hôtel de Bourgogne[2], où l'on venait de représenter pour la première fois le *Britannicus* de M. Racine, qui ne menaçait pas moins que de mort violente tous ceux qui se mêlent d'écrire pour le théâtre. Pour moi, qui m'en suis autrefois mêlé, mais si peu que par bonheur il n'y a personne qui s'en souvienne[3], je ne laissais pas d'appréhender comme les

1. Voir la notice, p. 171.

2. Au XVIIe siècle, les théâtres annonçaient leurs spectacles pour 14 h, mais les représentations ne débutaient, au mieux, qu'à 16 h : la première de *Britannicus* n'a pas échappé à la règle.

3. Edme Boursault (1638-1701) avait effectivement écrit plusieurs pièces de théâtre dans les années précédentes. Sa troisième pièce, *Le Portrait du peintre ou la Contre-Critique de l'École des femmes* (1663), était une satire de Molière et lui avait valu la célébrité (Molière l'avait attaqué à son tour, la même année, dans *L'Impromptu de Versailles*). Boileau venait d'obtenir du parlement de Paris que sa *Satire des Satires*, dirigée contre lui, ne soit pas représentée (1669). Il continuera à écrire des pièces au cours des vingt années suivantes (notamment un *Germanicus* en 1673) et connut son plus grand succès en 1690 avec une comédie intitulée *Les Fables d'Ésope*.

autres; et dans le dessein de mourir d'une plus honnête mort que ceux qui seraient obligés de s'aller pendre, je m'étais mis dans le parterre pour avoir l'honneur de me faire étouffer par la foule; mais le marquis de Courboyer, qui ce jour-là justifiait publiquement qu'il était noble[1], ayant attiré à son spectacle tout ce que la rue Saint-Denis a de marchands qui se rendent régulièrement à l'Hôtel de Bourgogne pour avoir la première vue de tous les ouvrages qu'on y représente, je me trouvai si à mon aise que j'étais résolu de prier M. de Corneille, que j'aperçus tout seul dans une loge, d'avoir la bonté de se précipiter sur moi, au moment que l'envie de se désespérer le voudrait prendre : lorsque Agrippine, ci-devant impératrice de Rome, qui, de peur de ne pas trouver Néron, à qui elle désirait parler, l'attendait à sa porte dès quatre heures du matin, imposa silence à tous ceux qui étaient là pour écouter, et me fit remettre ma prière à une autre fois. Monsieur de **** [2], admirateur de tous les nobles vers de M. Racine, fit tout ce qu'un véritable ami d'auteur peut faire pour contribuer au succès de son ouvrage, et n'eut pas la patience d'attendre qu'on le commençât pour avoir la joie d'applaudir. Son visage, qui, à un besoin, passerait pour un répertoire du caractère des passions, épousait toutes celles de la pièce l'une après l'autre, et se transformait comme un caméléon à mesure que les acteurs débitaient leurs rôles. surtout le jeune Britannicus, qui avait quitté la bavette depuis peu et qui lui semblait élevé dans la crainte de Jupiter Capitolin, le touchait si fort que le bonheur dont apparemment il

1. Il eut la tête tranchée en place de Grève ce jour-là, ce qui confirma en effet qu'il était noble (on décapitait les nobles et on pendait les roturiers).

2. Sur cet admirateur inconnu, les avis sont partagés : beaucoup voudraient y voir Boileau, quoique l'expression « Monsieur de **** » ne paraisse pas le désigner. L'attribution est cependant très vraisemblable, d'autant que Boursault était tenu à la plus extrême prudence envers Boileau depuis l'année précédente (voir ci-dessus la note 3, p. 187).

devait jouir bientôt l'ayant fait rire, le récit qu'on vint faire de sa mort le fit pleurer ; et je ne sais rien de plus obligeant que d'avoir à point nommé un fonds de joie et un fonds de tristesse au très humble service de M. Racine. Cependant les auteurs qui ont la malice de s'attrouper pour décider souverainement des pièces de théâtre, et qui s'arrangent d'ordinaire sur un banc de l'Hôtel de Bourgogne qu'on appelle le banc formidable, à cause des injustices qu'on y rend, s'étaient dispersés de peur de se faire reconnaître ; et tant que durèrent les deux premiers actes, l'appréhension de la mort leur faisait désavouer une si glorieuse qualité ; mais le troisième acte les ayant un peu rassurés, le quatrième qui lui succéda semblait ne leur vouloir point faire de miséricorde, quand le cinquième, qu'on estime le plus méchant de tous, eut pourtant la bonté de leur rendre tout à fait la vie. Des connaisseurs, auprès de qui j'étais incognito, et de qui j'écoutais les sentiments, en trouvèrent les vers fort épurés ; mais Agrippine leur parut fière sans sujet, Burrhus vertueux sans dessein, Britannicus amoureux sans jugement, Narcisse lâche sans prétexte, Junie constante sans fermeté, et Néron cruel sans malice. D'autres, qui pour les trente sous crurent avoir la permission de dire ce qu'ils en pensaient[1], trouvèrent la nouveauté de la catastrophe si étonnante, et furent si touchés de voir Junie, après l'empoisonnement de Britannicus, s'aller rendre religieuse dans l'ordre de Vesta qu'ils auraient nommé cet ouvrage une tragédie chrétienne, si l'on ne les eût assurés que Vesta ne l'était pas. Comme ce jour-là j'étais prié d'aller souper chez une dame, je ne fus pas plus tôt arrivé où l'on m'attendait qu'on me demanda des nouvelles de la tragédie que je venais de voir : et voici de quelle manière j'en parlai. Quoique rien ne m'engage à vouloir du

1. Le prix des places du parterre était ordinairement de quinze sous ; mais les prix étaient doublés lors des premières.

bien à M. Racine, et qu'il m'ait désobligé sans lui en avoir donné aucun sujet, je vais rendre justice à son ouvrage, sans examiner qui en est l'auteur. Il est constant que dans le *Britannicus* il y a d'aussi beaux vers qu'on en puisse faire, et cela ne me surprend pas ; car il est impossible que M. Racine en fasse de méchants. Ce n'est pas qu'il n'ait répété en bien des endroits : « que fais-je ? Que dis-je ? » et « quoi qu'il en soit », qui n'entrent guère dans la belle poésie ; mais je regarde cela comme sans doute il l'a regardé lui-même, c'est-à-dire comme une façon de parler naturelle qui peut échapper au génie le plus austère, et paraître dans un style d'ailleurs fort châtié. Le premier acte promet quelque chose de fort beau, et le second même ne le dément pas ; mais au troisième il semble que l'auteur se soit lassé de travailler ; et le quatrième, qui contient une partie de l'histoire romaine, et qui par conséquent n'apprend rien qu'on ne puisse voir dans Florus et dans Coëffeteau, ne laisserait pas de faire oublier qu'on s'est ennuyé au précédent, si dans le cinquième la façon dont Britannicus est empoisonné, et celle dont Junie se rend vestale ne faisaient pitié. Au reste, si la pièce n'a pas eu tout le succès qu'on s'en était promis, ce n'est pas faute que chaque acteur n'ait triomphé dans son personnage. La Des Œillets, qui ouvre la scène en qualité de mère de Néron, et qui a coutume de charmer tous ceux devant qui elle paraît, fait mieux qu'elle n'a jamais fait jusqu'à présent ; et quand Lafleur, qui vient ensuite sous le titre de Burrhus, en serait aussi bien l'original qu'il n'en est que la copie, à peine le représenterait-il plus naturellement. Brécourt, de qui l'on admire l'intelligence, fait mieux que s'il était le fils de Claude ; et Hauteroche joue si finement ce qu'il y représente[1] qu'il attraperait un plus habile homme que Britannicus. La D'Ennebaut, qui dès la première fois qu'elle parut sur le

1. Narcisse.

théâtre attira les applaudissements de tous ceux qui la virent, s'acquitte si agréablement du personnage de Junie qu'il n'y a point d'auditeurs qu'elle n'intéresse en sa douleur ; et pour ce qui est de Floridor, qui n'a pas besoin que je fasse son éloge, et qui est si accoutumé à bien faire que dans sa bouche une méchante chose ne la paraît plus, on peut dire que si Néron, qui avait tant de plaisir à réciter des vers, n'était pas mort il y a quinze cents je ne sais combien d'années, il prendrait un soin particulier de sa fortune, ou le ferait mourir par jalousie. Voilà, Madame, dis-je à la personne de qualité chez qui j'étais, ce que je puis vous apprendre de *Britannicus*, et ce que vous devez savoir des acteurs qui le représentent, puisqu'il ne se passe point d'hiver que vous ne les alliez voir cinq ou six fois. Quand vous aurez vu le chef-d'œuvre de M. Racine, ou du moins ce qu'on croyait qui le dût être, je viendrai m'informer de ce que vous en pensez ; car, bien que je vous en aie dit mon sentiment, je ne le donne pas pour infaillible jusqu'à ce que le vôtre l'ait confirmé.

II. LA SCÈNE SUPPRIMÉE[1]

BURRHUS, NARCISSE

BURRHUS

Quoi ? Narcisse au palais obsédant l'Empereur,
Laisse Britannicus en proie à sa fureur,
Narcisse, qui devrait d'une amitié sincère
Sacrifier au fils tout ce qu'il tient du père ?
Qui devrait, en plaignant avec lui son malheur,
Loin des yeux de César détourner sa douleur ?
Voulez-vous qu'accablé d'horreur, d'inquiétude,

1. Voir p. 96, n. 1.

Pressé du désespoir qui suit la solitude,
Il avance sa perte en voulant l'éloigner,
Et force l'Empereur à ne plus l'épargner ?
Lorsque de Claudius l'impuissante vieillesse
Laissa de tout l'empire Agrippine maîtresse,
Qu'instruit du successeur que lui gardaient les Dieux,
Il vit déjà son nom écrit dans tous les yeux ;
Ce prince à ses bienfaits mesurant votre zèle,
Crut laisser à son fils un gouverneur fidèle,
Et qui sans s'ébranler verrait passer un jour
Du côté de Néron la fortune et la cour.
Cependant aujourd'hui sur la moindre menace,
Qui de Britannicus présage la disgrâce ;
Narcisse qui devait le quitter le dernier,
Semble dans le malheur le plonger le premier ;
César vous voit partout attendre son passage.

NARCISSE

Avec tout l'univers je viens lui rendre hommage,
Seigneur : c'est le dessein qui m'amène en ces lieux.

BURRHUS

Près de Britannicus vous le servirez mieux.
Craignez-vous que César n'accuse votre absence ?
Sa grandeur lui répond de votre obéissance.
C'est à Britannicus qu'il faut justifier
Un soin dont ses malheurs se doivent défier.
Vous pouvez sans péril respecter sa misère :
Néron n'a point juré la perte de son frère.
Quelque froideur qui semble altérer leurs esprits,
Votre maître n'est point au nombre des proscrits.
Néron même en son cœur touché de votre zèle
Vous en tiendrait peut-être un compte plus fidèle,
Que de tous ces respects vainement assidus,
Oubliés dans la foule aussitôt que rendus.

NARCISSE

Ce langage, Seigneur, est facile à comprendre ;
Avec quelque bonté, César daigne m'entendre ;
Mes soins trop bien reçus pourraient vous irriter…
À l'avenir, Seigneur, je saurai l'éviter.

BURRHUS

Narcisse, vous réglez mes desseins sur les vôtres :
Ce que vous avez fait, vous l'imputez aux autres.
Ainsi lorsqu'inutile au reste des humains,
Claude laissait gémir l'empire entre vos mains,
Le reproche éternel de votre conscience
Condamnait devant lui Rome entière au silence.
Vous lui laissiez à peine écouter vos flatteurs,
Le reste vous semblait autant d'accusateurs,
Qui prêts à s'élever contre votre conduite
Allaient de nos malheurs développer la suite ;
Et lui portant les cris du peuple et du sénat,
Lui demander justice au nom de tout l'État.
Toutefois pour César je crains votre présence :
Je crains, puisqu'il vous faut parler sans complaisance,
Tous ceux qui comme vous, flattant tous ses désirs,
Sont toujours dans son cœur du parti des plaisirs.
Jadis à nos conseils l'Empereur plus docile,
Affectait pour son frère une bonté facile,
Et de son rang pour lui modérant la splendeur,
De sa chute à ses yeux cachait la profondeur.
Quel soupçon aujourd'hui, quel désir de vengeance
Rompt du sang des Césars l'heureuse intelligence ?
Junie est enlevée, Agrippine frémit ;
Jaloux et sans espoir Britannicus gémit :
Du cœur de l'Empereur son épouse bannie,
D'un divorce à toute heure attend l'ignominie.

Elle pleure ; et voilà ce que leur a coûté
L'entretien d'un flatteur qui veut être écouté.

NARCISSE

Seigneur, c'est un peu loin pousser la violence ;
Vous pouvez tout, j'écoute, et garde le silence.
Mes actions un jour pourront vous repartir :
Jusque-là...

BURRHUS

Puissiez-vous bientôt me démentir !
Plût aux Dieux qu'en effet ce reproche vous touche !
Je vous aiderai même à me fermer la bouche.
Sénèque dont les soins devraient me soulager,
Occupé loin de Rome ignore ce danger.
Réparons, vous et moi, cette absence funeste :
Du sang de nos Césars réunissons le reste.
Rapprochons-les, Narcisse, au plus tôt, dès ce jour,
Tandis qu'ils ne sont point séparés sans retour.

III. TACITE, *Annales*, livre XIII, chap. XIV-XVIII[1]

XIV. — *2* Agrippine, après cela, se lança, tête baissée, dans l'intimidation et les menaces, et ne se priva pas de dire, aux oreilles du prince, et hautement, que Britannicus était désormais un homme, qu'il était le véritable rejeton de Claude, digne de prendre en main le pouvoir qui lui venait de son père, un pouvoir qu'exerçait un intrus, un fils adoptif, en persécutant sa mère ; *3* elle ne refusait pas, disait-elle, de rendre publics tous les maux de leur maison infortunée, d'abord son propre mariage, ensuite l'empoisonnement de

1. Traduction de Pierre Grimal, Folio, p 310-313.

son mari ; les dieux et elle-même avaient pris une précaution, et une seule, que son beau-fils survécût ; elle irait avec lui au camp ; on entendrait, d'un côté, la fille de Germanicus, de l'autre Burrhus, l'infirme, et Sénèque, l'exilé, l'un avec sa main mutilée, l'autre sa langue de professeur, réclamer le gouvernement du genre humain. Et, en même temps, elle tend les bras, accumule les insultes, invoque Claude, devenu un dieu, les mânes infernaux des Silanus et tant de forfaits commis en vain.

XV. — *1* Troublé par ces propos et comme approchait le jour où Britannicus allait accomplir sa quatorzième année, Néron réfléchit en lui-même tantôt à la violence de sa mère, tantôt au caractère de Britannicus, révélé récemment par un fait, mince, sans doute, mais qui lui avait, cependant, attiré la sympathie de beaucoup. *2* Pendant les fêtes des Saturnales, alors qu'il jouait avec des camarades de son âge, qui, entre autres divertissements, tiraient au sort la royauté, le hasard avait désigné Néron. Celui-ci donna aux autres divers ordres, qui ne pouvaient les choquer ; mais lorsqu'il ordonna à Britannicus de se lever, de venir au milieu et de commencer à chanter, espérant faire rire aux dépens d'un enfant qui ne connaissait pas encore les banquets où l'on reste sobre, à plus forte raison ceux où l'on boit beaucoup ; et lui, sans se troubler, commença un poème qui voulait dire qu'il avait été chassé de la position de son père et du rang suprême. Ce qui fit naître un sentiment de pitié, d'autant plus visible que la nuit et la liberté du banquet avaient enlevé toute dissimulation. *3* Néron, comprenant cette hostilité envers lui, n'en éprouve que plus de haine ; et, pressé par les menaces d'Agrippine, et parce qu'il n'osait pas accuser son frère ni ordonner ouvertement qu'on le fît mourir, il recourt à une machination secrète et fait préparer un poison, par l'intermédiaire de Julius Pollio, tribun d'une cohorte prétorienne, sous la surveillance de qui était retenue prisonnière une femme appelée Locuste, condamnée pour empoisonnement et à qui l'on imputait de nombreux crimes. Car, on avait depuis longtemps pourvu à ce que l'entourage immédiat de Britannicus fût formé de gens sans foi ni loi. *4* Une première dose de poison lui fut administrée par ses précepteurs eux-mêmes, mais il fut évacué aussitôt par une diarrhée, soit qu'il ne fût pas assez fort, soit qu'il eût été dilué pour ne pas agir immédiatement. *5* Mais Néron, ne supportant pas que le crime fût si lent, menace le tribun, ordonne l'exécution de l'empoisonneuse parce que, dit-il, en tenant compte des rumeurs, en se ménageant des moyens de défense, ils retardaient le moment où lui-même serait en sécurité. Alors ils promirent que la mort serait aussi rapide que par un coup de poignard ; on fait cuire près de la chambre de César un poison, brutal, composé de drogues déjà éprouvées.

XVI. — *1* C'était la coutume que les fils des princes prennent leur repas assis, avec des jeunes nobles du même âge, sous les yeux de leurs proches, à une table qui leur était réservée, et plus frugale. Comme Britannicus y dînait et qu'un serviteur, choisi entre tous à cet effet, goûtait le premier à ce qu'il mangeait et buvait, afin de ne pas manquer à cette règle ou, par la mort de l'un et de l'autre, rendre le crime évident, on imagina la ruse suivante : *2* une boisson encore inoffensive, mais très chaude, et préalablement goûtée, est offerte à Britannicus ; puis, comme il la refusait, parce qu'elle était brûlante, on y verse, dans de l'eau froide, le poison qui se répandit dans tous ses membres de telle manière que la parole, en même temps que le souffle, lui furent ôtés. *3* Le trouble se met parmi ses voisins de table ; ceux qui ne réfléchissent pas s'enfuient de tous côtés, mais ceux qui comprennent plus avant demeurent à leur place, immobiles et les yeux fixés sur Néron. Lui, restant étendu, comme il était, faisant semblant de ne rien savoir, dit que cela arrivait souvent à Britannicus pendant une crise d'épilepsie, une maladie dont il était affligé depuis son enfance, et que, peu à peu, il recouvrerait la vue et les sens. *4* Mais Agrippine laissa transparaître une telle peur, un tel bouleversement d'esprit, bien qu'elle cherchât à en dissimuler l'expression sur son visage, qu'il fut évident qu'elle était aussi peu au courant qu'Octavie, la sœur de Britannicus : c'est qu'elle comprenait que son ultime recours lui était arraché et que c'était un précédent pour un parricide. Octavie, elle aussi, bien qu'elle fût encore jeune et sans expérience, avait appris à cacher douleur, affection, et tous ses sentiments. Ainsi, après quelques instants de silence, la joie du festin recommença.

XVII. — *1* La même nuit vit à la fois la mort de Britannicus et son bûcher car on avait fait, d'avance, les préparatifs des funérailles, qui furent très simples. Pourtant, il fut enseveli au Champ de Mars, sous des averses si violentes que la foule crut fermement que c'était un signe de la colère divine en face de ce crime, que beaucoup, même parmi les humains, excusaient, en disant que, depuis toujours, la discorde avait régné entre frères et que la royauté ne se partageait pas. *2* La plupart de ceux qui ont écrit sur cette période racontent que, à plusieurs reprises, avant le jour du meurtre, Néron avait abusé de l'enfance de Britannicus, si bien que la mort de celui-ci ne pouvait sembler ni prématurée ni cruelle, quoique ce soit pendant le rite sacré d'un banquet, sans qu'on lui ait laissé le temps même d'embrasser sa sœur, sous les yeux de son ennemi, que l'on se soit hâté de frapper le dernier représentant du sang des Claudii, souillé d'abord par un acte infâme, avant de l'être par le poison. *3* César justifia par un édit la précipitation des funérailles, se référant à une règle des anciens, qui enjoignait de soustraire aux yeux les obsèques d'un être jeune et de ne pas les faire durer ni par des éloges funèbres ni par un cortège. Quant à lui, ayant perdu le soutien d'un frère, il plaçait désormais ses espoirs dans l'État et il comptait d'autant plus sur l'affection des Pères et du peuple envers un prince qui restait seul d'une famille née pour le rang suprême.

XVIII. — *1* Ensuite, il enrichit par ses générosités les plus intimes de ses amis. Il ne manqua pas de gens pour reprocher à des hommes faisant profession d'austérité de s'être partagé en cette circonstance, comme un butin, des maisons, des villas. D'autres se disaient que le prince les y avait contraints, car il avait des remords et espérait que l'on fermerait les yeux s'il s'attachait, par ses largesses, les hommes les plus influents. *2* Mais la colère de sa mère ne pouvait être apaisée par aucun présent ; elle prenait Octavie dans les bras, tenait maint entretien secret avec des amis, et, dépassant encore son avidité coutumière, ramassant de l'argent de partout, comme pour se constituer un trésor de guerre, elle accueille avec bienveillance tribuns et centurions, cite avec honneur les noms et les vertus des nobles qui restaient encore, comme si elle cherchait un chef et un parti.

NOTE SUR LA PRÉSENTE ÉDITION

Conformément à l'usage, nous reproduisons le texte de *Britannicus* tel qu'il a été publié en 1697 dans la dernière édition des *Œuvres* de Racine publiée de son vivant. Les variantes des éditions antérieures (1670, 1675 et 1687) sont données dans les notes.

Dans la présentation, nous avons modernisé l'orthographe et normalisé l'emploi des lettres capitales. Dans un souci de cohérence, nous avons renoncé à maintenir certaines licences orthographiques à la rime que les éditeurs de Racine ont adoptées lorsque l'orthographe a pris son aspect moderne et que l'on trouve dans toutes les éditions actuelles. Car écrire *je te croi* (v. 341) pour *je te crois* — sous le prétexte que *croi* doit aussi rimer « pour l'œil » avec *toi* au vers suivant — se justifierait si cette licence avait été instaurée par Racine lui-même : il n'en est rien, puisque dans toutes les éditions publiées du vivant de Racine c'est *croy* et *toy* que l'on trouve, comme il était d'usage au XVIIe siècle où l'on se contentait de transcrire le son indépendamment de la forme grammaticale.

En revanche, nous avons strictement respecté la ponctuation d'origine, même si elle peut quelquefois dérouter le lecteur du XXe siècle. Il n'en va pas, en effet, de la ponctuation comme de l'orthographe, qui ressortit aujourd'hui à une stricte codification de nature objective. La ponctuation relève d'un usage non codifié et son emploi a obéi à des fonctions différentes selon les périodes. Elle sert aujourd'hui à signaler les ruptures d'ordre syntaxique, mais aussi — ce qui laisse la porte ouverte à la subjectivité de chaque éditeur — d'ordre sémantique : certains mettront « : » avec une nuance explicative, là où d'autres auraient préféré « . », ou « , », ou encore « ; ». Au XVIIe siècle, dans les textes de poésie et de théâtre en vers, il s'agissait avant tout de marquer le rythme des vers ou des périodes. Contrairement à une opinion largement répandue, elle n'était pas toujours laissée à la fantaisie ou à l'ignorance des protes[1], surtout lorsque les auteurs prenaient soin de l'édition de leurs œuvres, ce qui était particulièrement le cas de Corneille et de Racine : il suffit précisément d'observer sa régularité d'une édition à l'autre, pour se convaincre qu'elle a été contrôlée par Racine ; et quand on sait le prix qu'il accordait aux nuances de la déclamation, on se doit de respecter une ponctuation qui fait « respirer » le vers beaucoup mieux que notre ponctuation actuelle trop attachée à découper la phrase en ensembles grammaticaux, ou qui, à l'inverse, introduit des coupures à l'intérieur d'ensembles syntaxiques homogènes afin de marquer des tons ou des intensités. Ainsi des v. 1507-1508 : « Je crois, qu'à mon exemple impuissant à

1. Ce n'est que dans la dernière édition de ses *Œuvres*, non contrôlée par Racine lui-même, au dire de son fils Louis, qu'apparaissent des aberrations : mais ces aberrations concernent, dans la presque totalité des cas, les fins de vers où des points ont été ajoutés (v. 471, 507, 514, 581, 734, 784, 796, 813, 817, 893, 959, 977, 981, 1036, 1059, 1154, 1376, 1503, 1630, 1705, 1715, 1734) et des ponctuations omises (v. 630, 682) ; pour tout le reste, la ponctuation est demeurée, à peu de chose près, la même que dans les éditions précédentes. Ce qui tendrait à prouver que si Racine avait effectivement préparé cette dernière édition, il n'a pas pu ou n'a pas voulu — elle a paru deux ans avant sa mort — relire les épreuves.

trahir / Il hait à cœur ouvert, ou cesse de haïr. » Inadmissible aujourd'hui, cette virgule qui sépare un verbe de sa proposition complétive doit être comprise comme une virgule d'intensité, tandis qu'au contraire l'absence de virgule à la fin du premier vers souligne l'enchaînement avec le vers suivant. De même les v. 405-406, que tous les éditeurs désarticulent en cinq segments au nom de la syntaxe, en introduisant quatre virgules, se lisent ainsi : « Voilà comme occupé de mon nouvel amour / Mes yeux sans se fermer ont attendu le jour. » Nous laissons aux metteurs en scène contemporains de *Britannicus* le soin d'en tirer les conséquences.

BRITANNICUS À LA SCÈNE

Grâce au compte rendu ironique de Boursault dans sa nouvelle *Artémise et Poliante*[1], on connaît dans ses grandes lignes la distribution originale de *Britannicus*. Les principaux acteurs de l'Hôtel de Bourgogne y figuraient évidemment : Floridor, considéré depuis trente ans comme le meilleur acteur tragique, jouait Néron, tandis que Brécourt, transfuge de la troupe de Molière, faisait Britannicus ; Hauteroche était Narcisse, et Lafleur, Burrhus. Sur le plan des figures féminines, cette pièce se ressent de l'interrègne qui a séparé la mort de la Du Parc, qui avait créé *Andromaque*, et l'arrivée dans la troupe de la Champmeslé qui, à partir de *Bérénice*, allait représenter tous les grands rôles féminins du théâtre de Racine. Les deux meilleures actrices de la troupe étaient alors la D'Ennebaut, qui joua Junie, et la Des Œillets, qui tint le rôle d'Agrippine. Tous furent unanimement loués, ce qui ne nous renseigne guère sur leur jeu, les comédiens de l'Hôtel de Bourgogne ayant été une fois pour toutes désignés comme les spécialistes de la tragédie, par opposition à ceux du Palais-Royal (la troupe de Molière étant considérée comme parfaite pour le comique et médiocre pour le tra-

1. Voir la notice, p.171, et l'ensemble de ce récit dans l'Appendice I, p. 187.

gique) et aux acteurs du théâtre du Marais, dont on estimait qu'ils n'excellaient plus dans aucun registre. Les éloges nous renseignent d'autant moins que la principale technique dépréciative des adversaires d'une pièce de théâtre consistait à l'époque à expliquer que seul le talent des acteurs avait assuré le succès d'une pièce médiocre, ou sauvé de la débâcle une pièce mauvaise. Et tel est bien le sens de la remarque par laquelle Boursault présente la distribution de la tragédie : « Au reste, si la pièce n'a pas eu tout le succès qu'on s'en était promis, ce n'est pas faute que chaque acteur n'ait triomphé dans son personnage. » Tel est le sens aussi des vers du gazetier Robinet, qui avait assisté à la deuxième représentation :

> *[...] Les acteurs et les actrices,*
> *Comme enchanteurs, comme enchantrices,*
> *Par leur jeu tout miraculeux,*
> *Et leurs vêtements merveilleux,*
> *Qui sont des choses nonpareilles,*
> *Charment les yeux et les oreilles,*
> *De telle sorte en vérité*
> *Qu'il faudrait de nécessité*
> *Trouver maintes choses très belles,*
> *Quand elles ne seraient point telles.*

Une étrange anecdote attribuée à Boileau pourrait, si l'on était certain de son authenticité, donner matière à réflexion sur la manière dont était perçue au XVIIe siècle l'identification des comédiens à leur rôle. Dans le *Bolœana*, Monchesnay raconte : « M. Despréaux [Boileau] m'apprit une circonstance assez particulière sur cette tragédie [...]. Le rôle de Néron y était joué par Floridor, le meilleur comédien de son siècle ; mais comme c'était un acteur aimé du public, tout le monde souffrait de le voir représenter Néron, et d'être obligé de lui vouloir du mal. Cela fut cause que l'on donna le rôle à un acteur moins chéri, et la pièce s'en trouva mieux. » Vouloir du mal aux acteurs parce qu'on haïssait les personnages. Cette relation si forte qui unissait le public aux personnages qu'on lui présentait explique aussi que, selon Louis Racine (*Remarques sur Britannicus*), l'acteur incarnant Narcisse n'ait pu souvent se faire entendre des spectateurs qui manifestaient leur indignation à la fin de l'acte II (v. 757-760).

L'histoire de *Britannicus* sur les théâtres du XVIIIe et du XIXe siècle — c'est-à-dire à une époque où l'art de la mise en scène n'existe pas encore — se résume aux problèmes d'interprétation posés par les deux rôles les plus difficiles de la pièce, Agrippine et Néron.

Agrippine est très vite devenue au XVIIIe siècle le type de la reine tragique et pathétique — alternant les marques de la majesté d'une impératrice et les marques de la violence d'une mère jalouse. C'est dans ce type de jeu que triompha notamment Mlle Dumesnil, qui créa le rôle en 1737, et c'est l'habitude de ce type de jeu qui rendit plus surprenante l'innovation de Mlle Clairon en 1752 : prenant le contre-pied de l'interprétation traditionnelle, elle chercha à donner une Agrippine sans effet de pathétique, et se tailla un beau succès. Cette nouvelle interprétation n'eut cependant pas grande postérité immédiate, et l'on ne cite guère pour tout le XIXe siècle et le début du XXe que Mlle George puis Mme Second-Weber qui tentèrent — avec succès — d'adopter un ton simple et direct susceptible de faire ressortir toutes les nuances du rôle.

Quant au personnage de Néron, l'évolution de son interprétation engagea la réception de la pièce tout entière. Jusqu'au milieu du XVIIIe siècle semble avoir dominé la tradition d'un Néron en demi-teinte, plus occupé à traverser les amours de Britannicus et de Junie qu'à s'imposer en politique consommé et en monstre retors. Tout changea à partir de 1757 lorsque Lekain reprit le rôle. La pièce parut nouvelle aux spectateurs, frappés par la dimension écrasante d'un despote sûr de lui, loin des hésitations que le texte même de Racine laisse transparaître. Ce nouveau Néron allait faire école durant un siècle et demi, et les plus fameux tragédiens qui succédèrent à Lekain dans ce rôle, Talma au début du XIXe siècle, puis Mounet-Sully à la fin du siècle, achevèrent de faire du personnage un tyran d'âge mûr, plus proche des images d'Épinal que s'est forgées la postérité à partir du Néron de Suétone (*Vies des douze Césars*, VI) que du « monstre naissant » de Racine. Le terme de l'évolution fut de Max qui créa le rôle en 1915 à la Comédie-Française. Déjà Mounet-Sully, lecteur avoué de Suétone, faisait son entrée en sautillant, un petit miroir à la main pour surveiller ses cordes vocales, une écharpe orientale au cou, une émeraude au doigt à travers laquelle il fixait les autres personnages ; de Max orna son Néron de draperies, de bagues et même d'un monocle d'émeraude, et le joua comme un demi-fou, le visage illuminé ou torturé, vicieux ou menaçant, gesticulant avec violence.

On comprend que le public et les critiques, persuadés de la « vérité » de cette tradition interprétative, n'aient pu faire bon accueil à la première tentative de rénovation du rôle, menée par l'inventeur de la mise en scène moderne, André Antoine, juste avant la Première Guerre mondiale : c'est à des femmes qu'il confia le soin de jouer en travesti les personnages de Néron (Mlle Ventura) et de Britannicus (Mlle Pascal) de façon à mettre en valeur leur extrême jeunesse. Cet essai d'un Néron jugé trop enfant n'eut pas de lendemain.

C'est d'ailleurs plus largement toute tentative de rénover la mise en scène de *Britannicus* qui n'eut pas de lendemain. Quoique demeurant, tout au long du XXe siècle (et aujourd'hui encore), la tragédie de Racine la plus souvent représentée — après *Andromaque* —, et la plus souvent présente dans les programmes scolaires et universitaires, *Britannicus* a tardé à être l'objet de ces « lectures » de metteurs en scène qui ont révolutionné l'art de la représentation théâtrale. Il faut, en effet, attendre la fin des années soixante-dix, pour que, coup sur coup en l'espace de quatre années (1978-1981), soient données trois mises en scène novatrices de cette tragédie.

« La prise du pouvoir » : tel était le sous-titre de la mise en scène de Jean-Pierre Miquel à la Comédie-Française en 1978. Persuadé que « le sujet principal » de la pièce est « le démontage d'un mécanisme politique », le metteur en scène a vu en Néron un homme prodigieusement intelligent qui applique point par point un plan mûrement conçu à l'avance pour conforter définitivement son pouvoir face à Britannicus, sa volonté d'épouser Junie étant un acte politique et nullement passionnel ; seule la résistance de Junie l'a obligé à changer de stratégie et à déboucher sur la violence criminelle. On comprend que l'auteur de cette mise en scène hyper-rationaliste ait envisagé « les comportements psycho-pathologiques d'Agrippine et de Néron comme des manœuvres destinées à égarer l'entourage » ; on comprend aussi qu'il ait eu l'audace d'intégrer le dialogue fortement politique qui devait opposer Burrhus et Narcisse au début de l'acte III et que Racine avait supprimé en cours de composition.

Le sous-titre de la création de *Britannicus* (1979) par le théâtre de la Salamandre de Tourcoing dirigé par Gildas Bourdet (spectacle repris en 1980 à l'Odéon) aurait pu être aussi « la prise du pouvoir » ; et il aurait été d'autant plus justifié que la référence au célèbre film de Rossellini, *La Prise du pouvoir par Louis XIV*, était cette fois visuellement explicite : la mise en scène de Bourdet se voulait un écho du néo-réalisme italien : espace cinématographique, costumes et décors louis-quatorziens, recherche de l'effet de réel absolu, y compris dans les sources de lumière et dans les sons, ensemble scénique conçu non comme un lieu clos, mais comme une partie ouverte d'un palais plus vaste. Mais la singularité de ce spectacle (unanimement salué par la critique) tenait à ce que cette recherche de l'illusionnisme absolu n'était qu'une apparence : les tableaux et les objets étaient pourvus d'étiquettes, comme dans un musée, les costumes des personnages gênaient ostensiblement les mouvements des acteurs, les allures aristocratiques étaient contredites par des corps à corps dignes de scènes de ménage (Agrippine-Burrhus, puis Agrippine-Néron) et des mimiques prosaïques. Et ce travail de déconstruction et d'ambiguïté se retrouvait dans la diction, l'alexandrin se voyant à la fois rigoureusement respecté, en même temps que masqué par son étroite soumission à la syntaxe et un soulignement (y compris gestuel) des points forts du discours. Bref une mise en scène toute de décalages et de contradictions destinée à une autre perception de la tragédie racinienne, où dominent des enjeux idéologiques et politiques dans lesquels les spectateurs contemporains peuvent se reconnaître[1].

Moins audacieuse que les deux précédentes, la mise en scène d'Antoine Vitez, un an plus tard, est en même temps la moins originale de ses propres mises en scène de Racine. Deux raisons sans doute à cette relative timidité : créé au Théâtre national de Chaillot, dont Vitez venait de prendre la direction, *Britannicus* était destiné à un public aussi vaste que possible, et une lecture de la pièce fondée sur le pathétique de la passion amoureuse (Britannicus-Junie) ou de la perversion (Néron) et sur l'hystérie de la passion incestueuse (Agrippine-Néron) avait plus de chances de toucher ce public qu'une expérience comme celle qui avait été menée quelques années plus tôt sur

1. Voir le livre d'Anne-Françoise Benhamou, *Britannicus et la Salamandre*, Solin, 1981.

Phèdre[1]. En second lieu, ce *Britannicus* avait valeur de réplique à ceux de Jean-Pierre Miquel et de Gildas Bourdet qui le précédaient immédiatement : aussi Vitez s'est-il abstenu de toute référence politique (qu'elle fût historique ou contemporaine) pour s'attacher aux effets historiques des comportements purement passionnels : en cela, pour la première fois depuis très longtemps, un *Britannicus* à l'écoute de ce que Racine dit qu'il a voulu faire.

Les plus récents spectacles de *Britannicus* oscillent entre mises en scène traditionnelles — celle de Jean-Luc Boutté à la Comédie-Française en 1989 — et tentatives de donner un nouveau relief au texte en déjouant l'attente des spectateurs. Ce fut le cas de la mise en scène d'Alain Françon : insistance sur le langage du corps (Agrippine couchée devant la porte de Néron durant les deux premières scènes, esquisse de corps à corps entre Néron et Britannicus), jeux de contre-emplois (un Britannicus au physique puissant), ou encore mélange des tons (la scène des retrouvailles entre Britannicus et Junie traitée comme une scène de dépit amoureux moliéresque), le tout dans un décor de palais délabré. Créé à Lyon en 1991 (Théâtre du Huitième), ce spectacle fut repris avec succès au début de 1992, au Théâtre des Amandiers de Nanterre.

1. Voir notre édition de *Phèdre* dans ıa collection Folio théâtre.

REPÈRES BIBLIOGRAPHIQUES

L'ampleur considérable de la bibliographie racinienne nous a conduit à présenter ci-après une sélection très étroite des travaux publiés au cours des cinquante dernières années.

I. ÉDITIONS

RACINE, *Œuvres complètes*, par Raymond Picard, Gallimard, « Bibliothèque de la Pléiade », 1951, t. I.

RACINE, *Œuvres complètes*, par Georges Forestier, Gallimard, « Bibliothèque de la Pléiade », 1999, t. I.

RACINE, *Théâtre complet*, par Jacques Morel et Alain Viala. Garnier, 1980.

RACINE, *Théâtre complet*, par Jean-Pierre Collinet, Gallimard, « Folio classique », 1982-1983, 2 vol.

RACINE, *Théâtre complet*, par Philippe Sellier, Imprimerie nationale, « La Salamandre », 1995, 2 vol.

II. TRAVAUX SUR RACINE

AUCHINGLOSS, Louis, *La Gloire : The Roman Empire of Corneille and Racine*, Columbia (SC), South Carolina UP, 1997.

BACKES, Jean-Louis, *Racine*, Le Seuil, 1981.

BARNWELL, Harry T., *The Tragic Drama of Corneille and Racine. An Old Parallel Revisited*, Oxford, Clarendon Press, 1982.

BARTHES, Roland, *Sur Racine*, Le Seuil, 1963.

BENHAMOU, Anne-Françoise, *La Mise en scène de Racine de Copeau à Vitez*, thèse de doctorat de 3e cycle, Université Paris III, 1983, 3 vol.

BERNET, Charles, *Le Vocabulaire des tragédies de Jean Racine : analyse statistique*, Paris-Genève, Champion-Slatkine, 1983.

BIET, Christian, *Racine*, Paris, Hachette, 1999.

BUTLER, Philip, *Classicisme et baroque dans l'œuvre de Racine*, Nizet, 1959.

DECLERCQ, Gilles, « Représenter la passion : la sobriété racinienne », *Littératures classiques*, 11, 1989, p. 69-93.

DELCROIX, Maurice, *Le Sacré dans les tragédies profanes de Racine*, Nizet, 1970.

DESCOTES, Maurice, *Les Grands Rôles du théâtre de Jean Racine*, PUF, 1957.

DUBU, Jean, *Racine aux miroirs*, SEDES, 1992.

ELLIOT, Revel, *Mythe et légende dans le théâtre de Racine*, Minard, 1969.

ÉMELINA, Jean, *Racine infiniment*, Paris, SEDES, 1999.

FRANCE, Peter, *Racine's Rhetoric*, Oxford, Clarendon Press, 1965.

FREEMAN, Bryant C., et BATSON, Alan, *Concordance du théâtre et des poésies de Jean Racine*, Ithaca, Cornell University Press, 1968, 2 vol.

GARRETTE, Robert, *La Phrase de Racine. Étude stylistique et stylométrique*, Toulouse, Presses Universitaires du Mirail, 1995.

GOLDMANN, Lucien, *Le Dieu caché. Étude sur la vision tragique dans les « Pensées » de Pascal et dans le théâtre de Racine*, Gallimard, 1956.

GUENOUN, Solange, *Archaïque Racine*, New York, Peter Lang, 1993.

GUTWIRTH, Marcel, *Jean Racine : un itinéraire poétique*, Université de Montréal, 1970.

HAWCROFT, Michael, *Word as Action. Racine, Rhetoric and Theatrical Language*, Oxford, Clarendon Press, 1992.

HEYNDELS, Ingrid, *Le Conflit racinien, esquisse d'un système tragique*, Bruxelles, éd. de l'Université de Bruxelles, 1985.

HUBERT, Judd D., *Essai d'exégèse racinienne. Les secrets témoins*, Nizet, 1956.

KNIGHT, Roy C., *Racine et la Grèce*, Boivin, 1950 ; rééd. Nizet, 1974.

MAURON, Charles, *L'Inconscient dans l'œuvre et la vie de Jean Racine*, Ophrys, 1957.

MAY, Georges, *Tragédie cornélienne, tragédie racinienne. Étude sur les sources de l'intérêt dramatique*, Urbana, University of Illinois Press, 1948.

MOREL, Jacques, *Racine*, Bordas, 1992.

MOURGUES, Odette de, *Autonomie de Racine*, Corti, 1967.

NIDERST, Alain, *Les Tragédies de Racine. Diversité et unité*, Nizet, 1975.

PICARD, Raymond, *Corpus racinianum*, Les Belles Lettres, 1956 ; édition augmentée : *Nouveau Corpus racinianum*, éd. du CNRS, 1976.

—, *La Carrière de Jean Racine*, Gallimard, 1956 ; édition augmentée, 1961.

POMMIER, Jean, *Aspects de Racine*, Nizet, 1954.

Pommier, René, *Le « Sur Racine » de Roland Barthes*, SEDES, 1988.

Poulet, Georges, *Études sur le temps humain*, Plon, 1950 et 1967, t. I et IV.

Ratermanis, Janis B., *Essai sur les formes verbales dans les tragédies de Racine. Étude stylistique*, Nizet, 1972.

Revaz, Gilles, *La Représentation de la monarchie absolue dans le théâtre racinien. Analyses socio-discursives*, Paris, Éditions Kimé, 1998.

Rohou, Jean, *L'Évolution du tragique racinien*, SEDES, 1991.

—, *Jean Racine entre sa carrière, son œuvre et son Dieu*, Fayard, 1992.

—, *Jean Racine. Bilan critique*, Nathan, 1994.

Roubine, Jean-Jacques, *Lectures de Racine*, Armand Colin, 1971.

Scherer, Jacques, *Racine et/ou la cérémonie*, PUF, 1982.

Sellier, Philippe, « Le jansénisme des tragédies de Racine. Réalité ou illusion ? », *Cahiers de l'Association Internationale des Études Françaises*, XXXI, mai 1979, p. 135-148.

Spencer, Catherine, *La Tragédie du prince. Étude du personnage médiateur dans le théâtre tragique de Racine*, Paris-Seattle-Tübingen, P.F.S.C.L./Biblio 17, 1987.

Spitzer, Leo, « L'effet de sourdine dans le style classique Racine » (1931), *Études de style*, Gallimard, 1970, p. 208-335.

Starobinski, Jean, « Racine et la poétique du regard », dans *L'Œil vivant*, Gallimard, 1961.

Tobin, Ronald W., *Racine and Seneca*, Chapell Hill, University of North Carolina Press, 1971.

—, *Jean Racine Revisited*, New York, Twaynes Publishers, 1999.

Viala, Alain, *Racine. La Stratégie du caméléon*, Seghers, 1990

VINAVER, Eugène, *Racine et la poésie tragique*, Nizet, 1951.
WEINBERG, Bernard, *The Art of Jean Racine*, University of Chicago Press, 1963.
ZIMMERMANN, Éléonore, *La Liberté et le Destin dans le théâtre de Racine*, Saratoga (Californie), Anma Libri, 1982 (rééd. Champion, 1999).

« Racine, *Britannicus, Bérénice, Mithridate* », *Littératures classiques*, 26, 1996.
« Racine », *Cahiers de la Comédie-Française*, 17, 1995
« Présences de Racine », *Œuvres et critiques*, XXIV, 1, 1999.
« Racine poète », *La Licorne*, 50, 1999.
« Traduire Racine », *Revue de littérature comparée*, 290, 1999.

III. ÉTUDES SUR *BRITANNICUS*

Racine et Rome. Britannicus, Bérénice, Mithridate, éd. Suzanne Guellouz, Orléans, Paradigme, 1995.
CAMPBELL, John, *Racine : Britannicus*, Londres, Grant and Cutler, 1990.
HARTLE, R. W., *Index des mots de Britannicus*, Klincksieck, 1956.
POMMIER, René, *Études sur Britannicus*, Paris, SEDES, 1995.
RONZEAUD, Pierre, *Racine/Britannicus*, Klincksieck, 1995.
SCHRÖDER, Volker, *La Tragédie du sang d'Auguste : politique et intertextualité dans Britannicus*, Tübingen, Gunter Narr, 1999.

ACKERMAN, Dan, « *Britannicus*, pouvoir et amour », dans *Michelanca. Hommage au Professeur Michel Olsen*, Aalborg (Danemark), A. Universitetcenter, 1994, p. 9-22.
ALVIN, J.-L., « La scène supprimée de *Britannicus* », *Jeunesse de Racine*, Uzès, 1968, p. 43-54.

BRODY, Jules, «Les yeux de César : the Language of Vision in *Britannicus*», *Studies in Seventeenth Century French Literature*, J.-J. Demorest éd., Ithaca, Cornell University Press, 1962.

COUTON, Georges, «*Britannicus*, tragédie des cabales», dans *Mélanges d'histoire littéraire offerts à Raymond Lebègue*, Nizet, 1969, p. 269-277.

DECLERCQ, Gilles, «Une voix doxale : l'opinion publique dans les tragédies de Racine», *XVII*[e] *Siècle*, 182, 1994, p. 105-120.

DOSMOND, Simone, «Racine et la tragédie à sujet romain», *L'Information littéraire*, 47, 5, 1995, p. 22- 26.

DOUBROVSKY, Serge, «L'arrivée de Junie dans *Britannicus* : la tragédie d'une scène à l'autre», *Littérature*, 32, 1978, p. 27-54 (repris dans *Parcours critique*, Galilée, 1980).

GERVAIS, David, «Shakespeare and Racine : On Reading *Macbeth* and *Britannicus*», *The Cambridge Quarterly*, 23, 1994, p. 1-19.

GUTWIRTH, Marcel, «*Britannicus*, tragédie de qui ?», dans *Racine, mythes et réalités*, Constant Venesoen éd., Société d'études du XVIIe siècle, 1976, p. 53-69.

HEYNDELS, Ingrid, «Le non-dit dans *Britannicus* de Jean Racine», *Revue des langues vivantes*, 43, 1977, p. 160-171.

JAOÜEN, Françoise, «*Britannicus* ou l'éloge de la cruauté», *Op. cit.*, 5, 1995, p. 103-110.

KERBRAT, Marie-Claire, «Le pouvoir, illusion tragique : *Britannicus*», dans *Figures du pouvoir*, Paris, PUF, 1995, p. 81-156.

MALACHY, Thérèse, «Y a-t-il un statisme racinien ? Une lecture de *Britannicus*», *La Licorne*, hors-série, Colloques, I, 1995, p. 79-83.

MAZOUER, Charles, «Le visage et la présence dans *Britannicus, Bérénice* et *Mithridate*», *Littératures*, 33, 1995, p. 17-31.

ROHOU, Jean, « Étude d'un personnage racinien : les complaisances du vertueux Burrhus », *L'Information littéraire*, 1974, p. 41-47.

SCHRÖDER, Volker, « Junie, Auguste et le feu de Vesta : étude intertextuelle du dénouement de *Britannicus* », *Papers on French Seventeenth Century Literature*, 23, 1996, p. 575-598.

—, « Politique du couple : amour réciproque et légitimation dynastique dans *Britannicus* », *Cahiers de l'Association Internationale des Études Françaises*, 49, 1997, p. 455-491.

SOARE, Antoine, « Antiochus, Héraclius, *Britannicus* », dans *Actes de Colombus*, Charles S. Williams éd., Paris-Seattle-Tübingen, P.F.S.C.L./Biblio 17, 1990, p. 109-129.

—, « Néron et Narcisse ou le mauvais conseiller », *Seventeenth Century French Studies*, 18, 1996, p. 145-157.

SWEETSER, Marie-Odile, « Racine rival de Corneille : "innutrition" et innovation dans *Britannicus* », *Romanic Review*, LXVI, 1975, p. 13-31.

TANS, J., « Un thème clé racinien : la rencontre nocturne », *Revue d'Histoire Littéraire de la France*, LXV, 1965, p. 577-589.

TOBIN, Ronald W., « Néron et Junie : fantasme et tragédie », dans *Relectures raciniennes*, Richard L. Barnett éd., Paris-Seattle-Tübingen, P.F.S.C.L./Biblio 17, 1986, p. 193-209.

VAN DELFT, Louis, « Language and Power : Eyes and Word in *Britannicus* », *Yale French Studies*, 45, 1970, p. 102-112.

VENESOEN, Constant, « Le dénouement de *Britannicus* : le sens du récit d'Albine », *Papers on French Seventeenth Literature*, XXI, 40, 1994, p. 113-120.

ZIMMERMANN, Éléonore M., « La lumière et la voix : étude sur l'unité de *Britannicus* », *Revue des Sciences Humaines*, XXXIII, 1968, p. 169-183.

ARBRE GÉNÉALOGIQUE

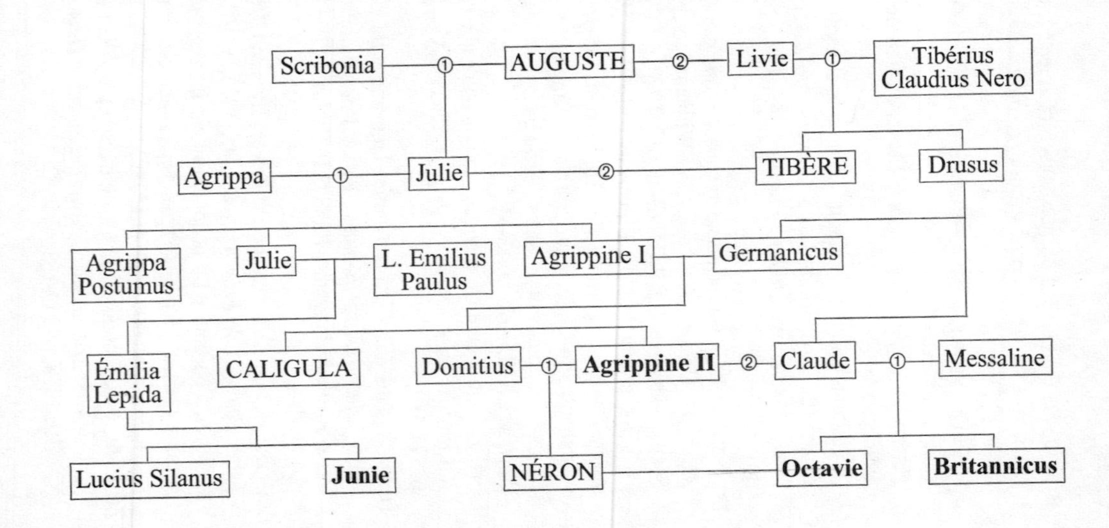

RÉSUMÉ

ACTE I

Agrippine, mère de l'empereur Néron, attend dans l'inquiétude le réveil de son fils et se confie à sa suivante Albine : Néron a fait enlever durant la nuit Junie, descendante d'Auguste, qu'elle avait décidé d'unir à Britannicus, héritier direct du précédent empereur Claude ; elle voulait s'appuyer sur ce jeune couple pour contrebalancer les velléités d'indépendance de son fils (sc. 1). Burrhus, gouverneur de Néron, l'empêche d'entrer : elle lui reproche de vouloir, lui et Sénèque qui lui doivent tout, l'éloigner de son fils ; Burrhus lui réplique en vantant le règne vertueux de Néron (sc. 2). À Britannicus, égaré par l'enlèvement de Junie, elle promet son appui (sc. 3). Quoique doutant de la sincérité d'Agrippine, Britannicus confie à son gouverneur, l'affranchi Narcisse, qu'il est de toute façon décidé à reconquérir le pouvoir dont on l'a spolié. Il part rejoindre Agrippine chez l'affranchi Pallas (sc. 4).

ACTE II

Néron confie à Burrhus le soin d'exiler Pallas, dont il redoute les conseils auprès de sa mère et de Britannicus (sc. 1). Resté seul avec Narcisse, dont on découvre le double jeu, il lui raconte comment les circonstances de l'enlèvement de Junie ont éveillé son amour pour elle ; désormais jaloux de Britannicus, il craint que les reproches de sa mère et du parti des vertueux l'empêchent de répudier Octavie (sœur de Britannicus) pour épouser Junie (sc. 2). Il avoue à Junie son amour et son désir de l'épouser, et la contraint à rompre sur-le-champ avec Britannicus, sous peine de le faire mourir (sc. 3). Narcisse annonce l'arrivée de Britannicus, tandis que Néron se cache pour épier leur entretien (sc. 4-5). Contrainte à la froideur, Junie ne peut lui faire comprendre qu'ils sont épiés ni l'empêcher de manifester son hostilité à Néron, et elle le chasse d'un ton glacial (sc. 6) avant de s'enfuir en larmes lorsque Néron sort de sa cachette (sc. 7). Néron invite alors Narcisse à irriter le désespoir de Britannicus (sc. 8).

ACTE III

Néron refuse d'écouter Burrhus qui tentait de le détourner de son amour pour Junie (sc. 1) et qui, une fois seul, s'inquiète de découvrir le vrai caractère de Néron (sc. 2). Il tente ensuite de calmer Agrippine qui lui reproche d'avoir inspiré à son fils l'exil de Pallas, et qui menace d'élever Britannicus à l'empire en avouant publiquement au prix de quels crimes elle a permis à son fils d'y parvenir injustement (sc. 3). Elle avoue à Albine qu'elle est effectivement prête à tout pour se venger d'être écartée du pouvoir (sc. 4), puis confirme son soutien à Britannicus qu'elle quitte pour chercher à tout prix à rencontrer Néron (sc. 5). Narcisse tente de détourner Britannicus de rencontrer Junie, en accusant celle-ci d'être sensible aux avances amoureuses de Néron, mais devant l'arrivée de la jeune fille il court prévenir Néron (sc. 6). Junie, qui a profité de l'entrevue entre Néron et Agrippine pour s'enfuir, cherche à éloigner Britannicus du danger qui le menace et le rassure sur ses sentiments; mais tout à sa joie, le jeune homme s'attarde (sc. 7), et Néron le surprend à genoux devant Junie. Furieux des provocations de Britannicus, il les fait arrêter l'un et l'autre (sc. 8), puis, persuadé que leur entrevue a été ménagée par Agrippine, il ordonne à Burrhus, en le menaçant lui-même, de la faire arrêter (sc. 9).

ACTE IV

Burrhus annonce à Agrippine que Néron lui accorde de se défendre devant lui, et lui conseille la modération (sc. 1). Dans une très longue plaidoirie, elle rappelle à son fils les manœuvres et les crimes qu'elle a accomplis pour lui permettre d'accéder à l'empire, tandis qu'il lui reproche d'avoir en fait été mue par sa propre passion du pouvoir; mais il finit par lui accorder tout ce qu'elle veut, liberté de Britannicus et de Junie, rappel de Pallas, réconciliation avec Britannicus, éloignement de Burrhus, en présence de celui-ci qui entre en scène à ce moment (sc. 2). Ces heureuses retrouvailles entre mère et fils provoquent la joie de Burrhus, mais Néron, rassuré par la haine de sa mère envers celui-ci, lui avoue que la réconciliation avec Britannicus n'est qu'une feinte destinée à faciliter son élimination : Burrhus l'implore alors de ne pas briser sa réputation de prince vertueux, et Néron, devant les larmes de son gouverneur à genoux, cède (sc. 3). Mais Narcisse, venu annoncer à Néron que le poison destiné à Britannicus est prêt, argumente en sens contraire en rapportant les bruits désobligeants que les ennemis de Néron répandent sur sa faiblesse (sc. 4).

ACTE V

Britannicus, devant Junie, se réjouit de leurs retrouvailles et de sa réconciliation avec Néron auquel il veut tout pardonner : malgré l'inquiétude de son amante, il est prêt à se rendre en pleine confiance au festin où Néron l'attend (sc. 1) et Agrippine vient le presser de le faire (sc. 2). Tandis qu'elle s'emploie à rassurer Junie, en vantant les effets de son pouvoir sur son fils (sc. 3), Burrhus vient en courant annoncer la mort de Britannicus, vers lequel Junie se précipite (sc. 4), puis raconte à Agrippine les circonstances de la mort du jeune homme au début du festin (sc. 5). Néron survient alors avec Narcisse et ne peut éviter sa mère, qui les accuse l'un et l'autre et maudit son fils (sc. 6). Tandis qu'Agrippine s'inquiète avec Burrhus des lourds présages d'avenir que révèle ce meurtre (sc. 7), Albine leur annonce que Junie s'est enfuie chez les vestales sous la protection du peuple qui a lapidé Narcisse sous les yeux de Néron impuissant, et que celui-ci est au bord de la folie et du suicide. Agrippine et Burrhus vont le rejoindre avec l'espoir de le ramener dans le droit chemin (sc. 8).

DU MÊME AUTEUR

Dans la collection Folio classique

THÉÂTRE COMPLET, tomes I et II. *Édition présentée et établie par Jean-Pierre Collinet.*

ANDROMAQUE. *Préface de Raymond Picard. Édition établie par Jean-Pierre Collinet.*

PHÈDRE. *Édition de Raymond Picard.*

Dans la collection Folio théâtre

BÉRÉNICE. *Édition présentée et établie par Richard Parish.*

BAJAZET. *Édition présentée et établie par Christian Delmas.*

PHÈDRE. *Édition présentée et établie par Christian Delmas et Georges Forestier.*

IPHIGÉNIE. *Édition présentée et établie par Georges Forestier.*

MITHRIDATE. *Édition présentée et établie par Georges Forestier.*

ATHALIE. *Édition présentée et établie par Georges Forestier.*

Composition Interligne
et impression Bussière Camedan Imprimeries
à Saint-Amand (Cher), le 17 octobre 2002.
Dépôt légal : octobre 2002.
1er dépôt légal dans la collection : avril 2000.
Numéro d'imprimeur : 024921/1.
ISBN 2-07-041439-6./Imprimé en France.

120968